楊名時太極拳 動作早見表

二十四式太極拳の型と、スタートから移動する方向の一覧です。
通しで行うときなどに活用してください

準備
P44
時間の目安
約12分
8式
P66
7式
P62
19式
P92
20式
P94

（二十四式太極拳移動マップ）

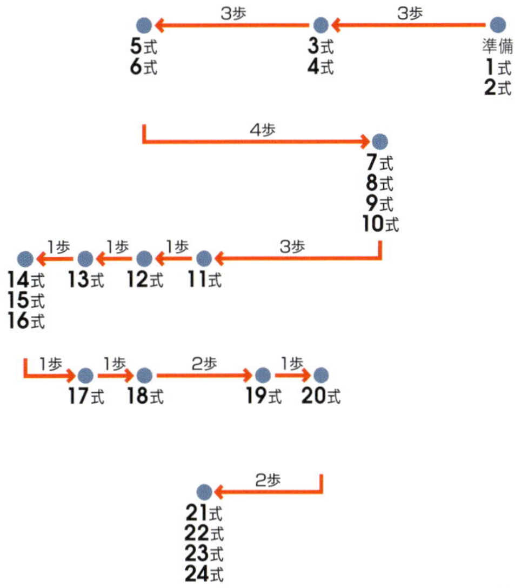

3歩
3歩
5式
6式
3式
4式
準備
1式
2式
4歩
7式
8式
9式
10式
1歩
1歩
1歩
3歩
14式
15式
16式
13式
12式
11式
1歩
1歩
2歩
1歩
17式
18式
19式
20式
2歩
21式
22式
23式
24式

※本表は、移動する方向および距離を表したものです。

開始
1式
P45
2式
P46
3式
P50
9式
P70
10式
P72
11式
P76
12式
P78
21式
P96
22式
P100
23式
P102
24式
P103

マークの意味　← … 右から左に移動　→ … 左から右に移動　＝ … 移動なし

DVD見ながらできる！
はじめての太極拳入門

楊名時太極拳　師範
楊 慧 監修

楊名時太極拳　師範
楊 玲奈 実技

西東社

さあ、太極拳をはじめましょう!

武術をルーツとし、健康体操に変化した現代の太極拳

中国・清代に皇帝達の護身術として生まれ、門外不出であったとされる太極拳。伝統武術として武道家のみに伝授され、打撃動作などの激しい動きを含む、習得がむずかしいものでした。

清代末期、ある指南役により、その太極拳が健康維持と精神修養に重点を置いて改良され、性別や年齢、体力を問わずに習得できる運動として広まったのが、現在の太極拳のルーツとされます。そして、その後、太極拳は五つの流派に分かれて発展していきました。

1956年、中国政府がそれらの流派の代表的な型を整理・統合して24の型に簡略化し、健康増進のために、だれでも簡単に習得できる新しい太極拳を制定しました。これを二十四式太極拳(または簡化太極拳)と呼びます。

本書で紹介するのは、この二十四式太極拳をベースとしてできた「楊名時太極拳」になります。

太極拳が心と体に効くのはどうして?

太極拳は、成立の過程で、中国武術の起源である導引(屈伸運動や摩擦、呼吸法)や吐納法《とのう》(呼吸法)を取り入れながら、敵と戦うための武術ではなく、内臓や感覚など内面を修練するための柔拳《じゅうけん》へと変わりました。

また、中国哲学の陰陽説や、中国医学の基礎をなす経絡《けいらく》説などの知恵も組み込まれており、心身のバランスを保つために、筋肉や関節を柔軟にし、内臓や精神の活性および鎮静の働きをする運動となっています。

陰陽説では、自然の営みも人間の健康も、陰陽のバランスがとれてはじめて保たれると考えられています。「太極」とは、この陰陽を生じる「気」の原型で、万物の源の意。太極拳とは、気を流し、陰陽のバランスを調和させる技という意味をもつ名なのです。

経絡説は、人間の体に通っている「経絡」にそって気が滞りなく流れることで、健康が保てるという考え方です。経絡の上には多くのツボがあり、鍼灸《しんきゅう》はこのツボを刺激することで気の流れをよくしますが、太極拳では全身のツボを刺激したことと同じような効果が期待できます。

気長にゆったり続けることで自然治癒力アップ

もともと健康太極拳は、老若男女問わず、だれでもできるように考えられて生まれ、ゆったりとした動きが特徴です。ですから、体力に自信がない人や年配の人でも無理なく続けられますし、病後のリハビリテーションなどにも活用されています。

ただし、疲れが蓄積したり、体調不良が病気としてあらわれる前に、予防のための健康増進体操として行うことが何よりおすすめです。すでに痛む部分や動きにくい部分がある場合は、体調と相談しながら行いましょう。無理をせず、気持ちよく続けることが大切です。

なんとなくポーズをとるのではなく、気の流れを意識しながら動くと効果が高まります。太極拳を毎日繰り返し行ううちに、心身のバランスが徐々に整って自然治癒力も高まり、パワーアップしていくのを実感できるはずです。

こんなによいことがある太極拳！

美肌効果

血液の循環がよくなり、老廃物が排出されて肌の新陳代謝がアップします。

内臓機能アップ

腰を中心とした体の動きが内臓にほどよい刺激を与え、活性化します。

体調の管理

肩こり、腰痛、便秘などの慢性的な悩みを軽減し、改善していきます。

ツボ刺激効果

すべての経絡を開く動きのため、全身の気の流れがよくなります。

生活習慣病対策

疲労や体調不良で病気になる前に定期的に行って、予防＆改善します。

ダイエット効果

ゆっくりした動きの中で筋肉の伸縮を行うため、引き締まり効果が。

若々しさの維持

女性ホルモンのバランスを整え、美肌や女性らしい体型をキープします。

リラックス効果

腹式呼吸による副交感神経への刺激で、自律神経のバランスが整います。

代謝効率アップ

全身の血液や気の巡りがよくなることで、新陳代謝が高まります。

太極拳の特徴である腹式呼吸は副交感神経を刺激し、内臓の働きを高め、女性ホルモンのバランスを整え、心身を安定させる効果があります。また、深い呼吸をしながら、体の力を抜いて動くことで、筋肉や関節のこわばりをほぐして肩こりや腰痛を軽減し、体の歪みを整えて、背筋の伸びた正しい姿勢に近づけます。さらに、全身の筋肉や関節を伸縮する運動により、気や血液の巡りがよくなって、新陳代謝が高まり、美肌づくりや便秘解消、冷え性の改善などの効果も期待できます。

目次
contents

PART 3

いよいよ実践！ 二十四式太極拳

PART 4

組み合わせで効果アップ 目的別太極拳

HOW TO USE DVD

DVDの特長と使い方

本書付録DVDには、PART1～4までの太極拳のお手本となる動作の映像が90分収録されています。

〈充実の5つのメニュー〉

1 太極拳の基本形

最初にあいさつや歩き方など、太極拳の基本となる動作を紹介しています。

PART 1
基本形
立禅・甩手

2 八段錦

中国民間に伝わる８つの健康体操です。

PART 2
第七段錦
攢拳怒目増気力

3 二十四式太極拳

《詳しい解説指導つき》

二十四式太極拳の動作を詳しく解説しています。

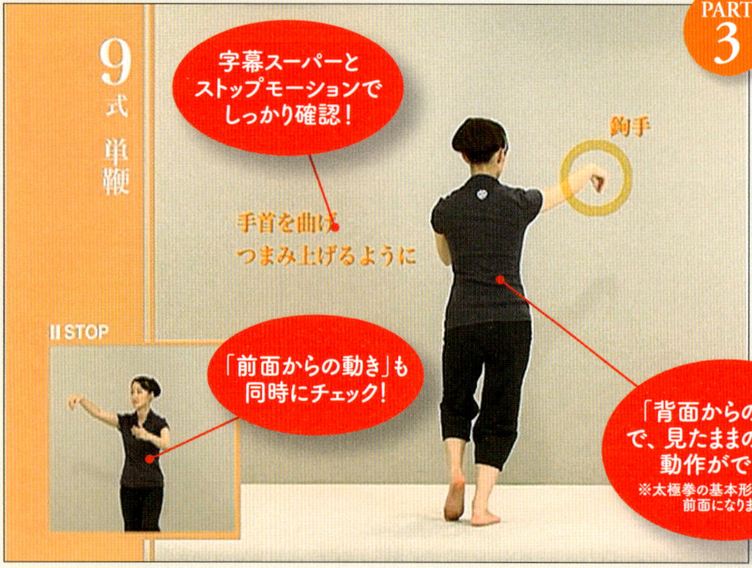
PART 3
9式 単鞭
字幕スーパーとストップモーションでしっかり確認！
鉤手
手首を曲げ つまみ上げるように
II STOP
「前面からの動き」も同時にチェック！
「背面からの動き」で、見たままの方向に動作ができる！
※太極拳の基本形、八段錦は前面になります。

DVDの操作方法

メインメニュー画面

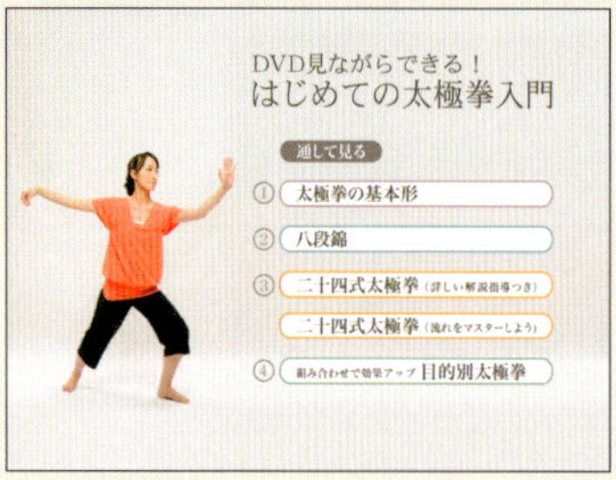
DVD見ながらできる！
はじめての太極拳入門
通して見る
太極拳の基本形
八段錦
二十四式太極拳
二十四式太極拳
目的別太極拳

DVDを再生するとメインメニュー画面が現れます。５つのメニューから見たい項目を選んで決定してください。

さあ一緒に太極拳をしましょう！

DVD 90分

本書付録DVDをご使用になる前に

使用上のご注意

●DVDビデオは、映像と音声を高密度に記録したディスクです。DVDビデオ対応のプレーヤーで再生してください。詳しくは、ご使用になるプレーヤーの取扱説明書をご参照ください。
●本ディスクにはコピーガード信号が入っていますので、コピーすることはできません。

再生上のご注意

●各再生機能については、ご使用になるプレーヤーおよびモニターの取扱説明書を必ずご参照ください。
●一部プレーヤーで作動不良を起こす可能性があります。その際は、メーカーにお問い合わせください。
●二十四式太極拳（流れをマスターしよう）で8分割したメニューを選択した場合、区切りの前後の映像が入る所があります。

取扱上のご注意

●ディスクは両面とも、指紋、汚れ、傷等をつけないように取り扱ってください。
●ディスクが汚れたときは、メガネふきのような柔らかい布を軽く水で湿らせ、内周から外周に向かって放射線状に軽くふき取ってください。レコード用クリーナーや溶剤等は使用しないでください。
●ディスクは両面とも、鉛筆、ボールペン、油性ペン等で文字や絵を書いたり、シール等を貼らないでください。
●ひび割れや変形、または接着剤等で補修されたディスクは危険ですから絶対に使用しないでください。また、静電気防止剤やスプレー等の使用は、ひび割れの原因となることがあります。

鑑賞上のご注意

●暗い部屋で画面を長時間見つづけることは、健康上の理由から避けてください。また、小さなお子様の視聴は、保護者の方の目の届く所でお願いします。

保管上のご注意

●使用後は必ずプレーヤーから取り出し、DVD専用ケースに収めて、直射日光が当たる場所や高温多湿の場所を避けて保管してください。
●ディスクの上に重いものを置いたり落としたりすると、ひび割れしたりする原因になります。

お断り

●本DVDは、一般家庭での私的視聴に限って販売するものです。本DVDおよびパッケージに関する総ての権利は著作権者に留保され、無断で上記目的以外の使用（レンタル<有償、無償問わず>、上映・放映、複製、変更、改作等）、その他の商行為（業者間の流通、中古販売等）をすることは、法律により禁じられています。

4 二十四式太極拳《流れをマスターしよう》

二十四式太極拳を「通し」で行っています。

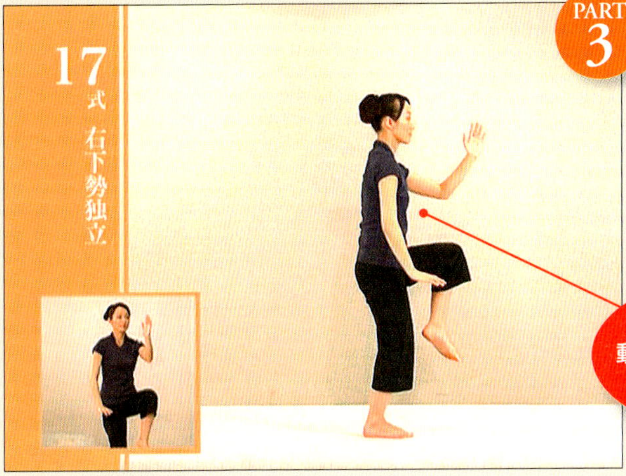

流れるような動きに合わせて一緒に動作ができる！

5 目的別太極拳

ストレス解消や腰痛改善などに効く、八段錦と太極拳を組み合わせた特別プログラムを紹介しています。

《八段錦》

＋

《二十四式太極拳》

短時間で効率よく練習できる！

動作解説画面

動作の解説画面が再生されます。動作が終わると自動的にメニュー画面に戻ります。

メニュー画面

各メニューから見たい項目を選び決定してください。

HOW TO USE THIS BOOK

本書の使い方

本書では、八段錦と太極拳を大きな写真でわかりやすく解説しています。ぜひ付録DVDと合わせて活用してください。

ポイント
特に気をつけたいポイント。

効能一覧
各式のおもな効能を表示しています。

クローズアップ
細かい動きを拡大して解説しています。

型の名称
型の中国語の名称です。

DVD対応ナンバー
付属DVDに収録されているメニュー番号です。

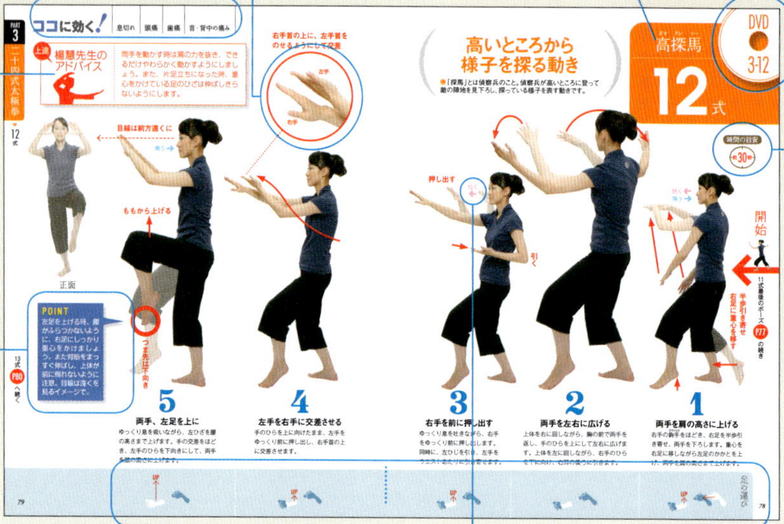

楊慧先生の上達アドバイス
楊先生からのアドバイスです。動作を行う前に目を通すとよいでしょう。

足の運び方
足の動きや重心のかけ方をわかりやすく表示しています。重心がある足は濃い色になっています。

呼吸法
「吸う」は次の「吐く」まで継続されます。「吐く」も同じ。

所要時間の目安
型をひと通り行うときにかかる時間の目安です。

※動作が左から始まるページもあります

本書は右から左へ読み進めていただく構成になっていますが、左から右へ体の向きを変えたり、移動する式の場合は、読みやすいよう左から右へ読む構成になっています。

＜左から右の順になるケース＞
6式、**8**式、**15～20**式、

呼吸法と足の運び方は、あくまでも目安。気持ちがよくなる動きとゆるやかな呼吸で、楽しみながら行ってくださいね。

《 二十四式太極拳　効率的な練習プランニング例 》

STEP 1　DVDをひと通り見てイメージ
まずはDVDや折り込みの動作早見表を見ながら、ひと通りの動作をイメージします。

STEP 2　DVDに合わせて動く
DVDに合わせて実際に動き、動作の感覚をつかみます。

STEP 3　本で細かい動きをチェック
本書を見ながら、細かい動きやポイントなどをチェックします。

STEP 4　DVDを見ながら動きを覚える
再度、DVDに合わせて練習します。

STEP 5　全体を通して行う
それぞれの型をある程度マスターしたら、DVD「流れをマスターしよう」で全体を通して行います。

PART 1

最初に覚えたい 太極拳の基本形

太極拳は、基本となる呼吸法、手や足の形、歩き方を組み合わせた運動です。レッスンをしながら、自然に動きに取り入れられるようにしていきましょう。

太《たい》極《きょく》拳《けん》の基《き》本《ほん》形《けい》

ゆったりとした動作と深い呼吸で心を鎮め、気を巡らせる

太極拳とは、中国武術やその呼吸法、中国の哲学である陰陽説、中国医学の基礎をなす経絡《けいらく》説を取り入れた運動です。太極とはパワーの源とされる「気」、拳は「技、術」という意。太極拳で、意識（心）、呼吸、動作をひとつにして、気の流れをよくすれば、心身を健康に保ち、元気に過ごすことができます。

3つのキーワード

調心——無心になって動作に集中しましょう

太極拳の特徴のひとつに、「心静用意」があります。これは〝心を静かにして、意識によって動作を導く〟ということです。

太極拳を行う時は動作に集中し、日常の雑事は忘れて、心をからっぽにすることが大切です。

逆にいうなら、ゆったり流れるような動きを続けるうちに心の緊張がほぐれ、研ぎ澄まされていくのを感じられるようになります。これは、禅宗でいう無我の境地、ヨガの瞑想にも似た状態です。

太極拳は、体ばかりではなく、心も柔軟にするのです。

調息——深くゆっくり深長呼吸を行います

太極拳の要素のひとつである呼吸法は、中国では古くから自分でできる健康法であり、長生きの秘法であるとして実践されてきました。

太極拳の「深長呼吸」は、深くゆったりした腹式呼吸で、長さは「吸う・吐く」の一息で20～25秒と、ふつうの呼吸の倍以上です。呼吸をしながら、大地の気を吸い上げ、体の中心である丹田《たんでん》（➡P11）というツボに集め、体の隅々にまで巡らされている経絡《けいらく》（気の通り道）にそって手足の先まで届けるように意識しましょう。慣れれば、呼吸していることを忘れるくらい自然にできるようになります。

調身——正しい姿勢で柔らかく体を動かして

太極拳は、無駄な力を入れず、無理なく、ゆったり体を動かすことが基本です。正しい姿勢を保ち、全身の筋肉や関節をゆるめて、弧を描くように大きくしなやかに動くことで、全身のバランスが整い、気の流れがよくなります。

中国武術の要素も取り入れられているため、防御や攻撃の型がベースになっている動きもあり、そのヒントの多くが鶴の身のこなしにあるとされます。優美な鶴の姿を模しているだけに、力強さと美しさが調和しているのが特徴です。太極拳で、身も心も美しく、しなやかになりましょう。

DVD 1-1

你《ニイ》好《ハオ》

基本形 1

すべての始まり、あいさつに心を込めて

太極拳は、心と体をリラックスさせるために、準備を大切にします。最初に行うのは「あいさつ」。

武道の要素も含む太極拳は、礼節を重んじるため、礼に始まり、礼に終わります。始まりのあいさつは、心を込め、ていねいに行いましょう。

太極拳の動きの大切な基本のひとつに「平目平視《へいもくへいし》」があります。これは、背筋を常にまっすぐ伸ばして、顔は傾けたり、うつむくことなく正面を向き、目線は原則として水平にしておくこと。まずは、この正しい姿勢で立ち、あいさつをすることから、太極拳の第一歩が始まります。

丹田《たんでん》※を意識して
手のひらは後ろ向きに
両手は重力に引っ張られるように自然に下ろす
ひざはなるべく曲げない

1
両足をそろえ、背筋を伸ばして立ちます。両手のひらは後ろ向きにして、体のわきに。

2
ゆっくり息を吐きながら、腰を深く折り曲げ、両手は自然に下ろします。

3
両手をつま先の前に着けます。手はこぶしでも、開いたままでもOKです。

4
ゆっくり息を吸いながら、上体を起こし、元の姿勢に戻ります。

※丹田＝体の中心にあるツボ

DVD 1-2

基本形 2

立《りつ》禅《ぜん》

呼吸を整えながら心の準備をします

太極拳を始める前に、深く長い呼吸をしながら、心を鎮め、精神統一をはかります。

おなかに空気を入れることを意識しながら、鼻でゆっくりと呼吸し、吐く時は吸う時の倍くらい時間をかけ、空気を吐ききることが大切です。目は閉じるか半眼にして、気を丹田に集めるつもりで、練習の前後に3～5分をかけて行いましょう。大地の気を吸い上げる意識で行えば、全身の気の流れがよくなり、太極拳の効果も高まります。

2の立ち方を「自然立ち」と呼び、これが太極拳のスタートの姿勢になります。

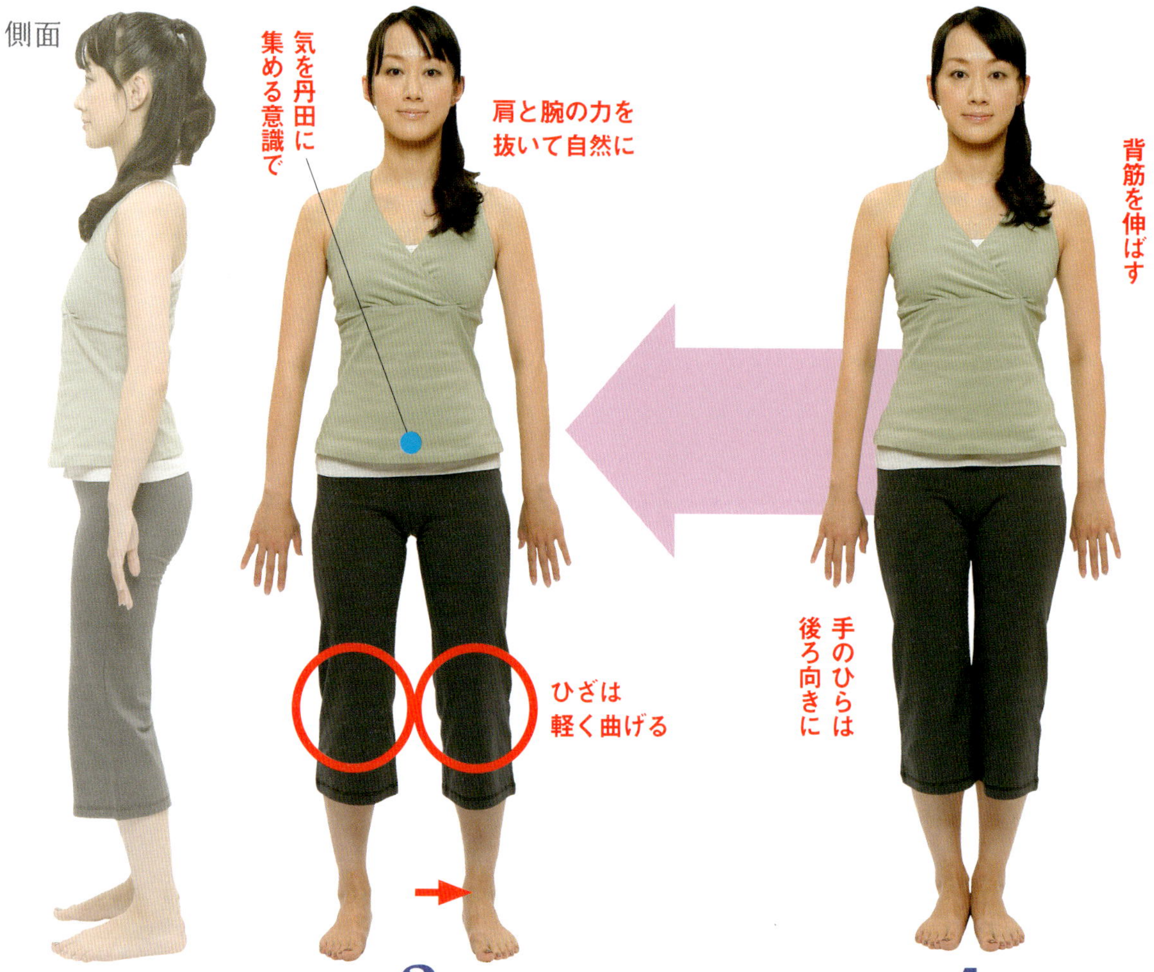
背筋を伸ばす
手のひらは後ろ向きに
肩と腕の力を抜いて自然に
気を丹田に集める意識で
ひざは軽く曲げる
側面

1

両足をそろえて立ち、手を自然に下ろします。

2

左足を動かし、肩幅くらいに開きます。両足に均等に重心をかけ、腹式呼吸を3～5分繰り返します。

DVD 1-2

基本形3 甩《スワイ》手《ショウ》

全身を柔らかくほぐす準備運動です

立禅で心の準備ができたら、今度は体の準備をします。甩手の「甩」は、「ぽいと投げる」という意味。力を抜いた両手を投げ出すように大きく振り回すことにちなんでいます。

上半身を回し、両腕をつけ根から振る運動によって、全身の筋肉がほぐれ、血行もよくなります。左右で20〜30回を目安に行いましょう。

最初はゆっくりと、だんだんスピードを上げてリズミカルに行い、徐々にスピードを落として動きを小さくしていきながら終わります。また、腰を軸にして回し、かかとを上げないように心がけましょう。

体がほぐれるまで20〜30回繰り返す
背筋をまっすぐ
目線は後方に
腰を軸に回す
かかとが浮かないように
目線は後方に
腰を軸に回す
かかとが浮かないように

1 「立禅」の2の姿勢がスタートになります。

2 両手を左右に伸ばして上げ、左右交互に上半身を回します。両手は動きに合わせて、力を抜いた状態でぶらんぶらんと回します。後ろに回った手で背中をぽんとたたくようにして。

基本形4 呼《こ》吸《きゅう》法《ほう》

手の上下に合わせた呼吸

手を上げる時は吸い、下げる時は吐きます。体の前で両手を上下する場合だけでなく、左右に開いた手を同時に上下する動きの場合も同じです。

呼吸のポイント

- POINT 1 鼻で呼吸する
- POINT 2 ゆっくりと
- POINT 3 動きに合わせて

動きと呼吸が合えば効果がさらにアップ

太極拳の呼吸は、「腹式呼吸」であり、「深長呼吸」です。鼻からゆっくり息を吸っておなかをふくらませたら、鼻からゆっくり細く長く吐き出して、おなかがへこむまで吐きります。息を吸うのに7〜9秒、吐く時はその倍くらい時間をかけるのが理想です。

体の動きに合わせて呼吸できるようになると、動きがなめらかになり、同時に、太極拳の効果もより上がるようになります。ただし、呼吸にとらわれ過ぎると、動きがぎこちなくなってしまうので、最初のうちは無理をせず、自然な呼吸で行っていきましょう。

ここでは、体の動き、手の動き、足の動きに合わせた呼吸法を紹介します。吸う動き、吐く動きを覚えて、繰り返し練習すれば、自然と身についていきます。慣れると、呼吸していることを忘れるほど動きと一体になっていきます。

体の屈伸に合わせた呼吸

体を伸ばす時は吸い、縮める時は吐きます。片手片足で伸縮する場合だけでなく、両手をそろえて伸縮したり、両ひざを曲げて腰を落とすなどの動きでも、伸ばす時は吸い、縮める時は吐きます。

手と足の動きに合わせた呼吸

手を体に引き寄せる時は吸い、手を体から離して押し出す時は吐きます。足の動きでは、後ろに引いたり、重心を後ろに移す時は吸い、足を前に踏み出したり、重心を前に移す時は吐きます。

基本形5

足形《あしがた》・手形《てがた》

基本の足形5種

仆歩《プーブー》

斜め前に出した片足を曲げて重心をかけ、もう一方の足を斜め後ろに出して姿勢を低くした形。

✕これはNG!

斜め後ろに出した足のひざが内側に入ったり、上体がねじれないように注意しましょう。両足は一直線上に並べないこと。

馬歩《マーブー》〈騎馬立ち〉

馬にまたがった形。両足を肩幅より広く開き、ひざを曲げて腰を落とします。重心は中心に。

✕これはNG!

ひざが内側に入らないように気をつけましょう。重心が安定せずに腰がふらついたり、上体が前に傾きやすくなります。

武術の要素を含む、独特の動きを覚えよう

太極拳は武術の要素も含むため、足の運びや手の形が独特です。相手の攻撃を防ぐ、あるいは相手を攻めるなどの場面を想定した足の運びや手の形があります。

足を運ぶ時は、上体は背筋を伸ばしてまっすぐ起こし、腰がぐらつかないようにしましょう。

片足を前や後ろ、横に踏み出す時は、両足が一直線上に並ばないように気をつけます。一直線になってしまうと重心が安定せず、バランスを崩しやすいからです。また、片方の足からもう一方の足に重心を移していく時は、完全に重心が移るまで、かかとを床から上げないようにしましょう。

手形の基本は開く、握る、つり上げる

手は、どの形の時も力を入れ過ぎず、柔らかさを保ちます。太極拳の

独立歩《ドゥリブー》

片方のひざを曲げて上げ、もう一方のひざを軽く曲げて重心をのせた、片足立ちの形です。

虚歩《シェイブー》

後ろ足に重心をかけ、前に出した足のつま先、または、かかとを軽く床に着けた形です。

弓歩《ゴンブー》

前に踏み出した足のひざを曲げて重心をかけ、後ろ足を伸ばし、両足の裏を床に着けた形です。

✕これはNG!

背筋を伸ばして、床に着いた足にしっかり重心をのせ、上体が後ろや前に倒れないように注意。上げた足のつま先は下向きにします。

✕これはNG!

背筋をまっすぐ伸ばし、後ろ足にしっかり重心をのせて、上体が前に倒れたり、おしりが突き出ないように。両足は一直線上に並べないで。

✕これはNG!

前足のひざはつま先より前に出ない程度に曲げること。また、後ろ足のかかとが上がったり、前傾姿勢にならないように注意して。

基本の手形 3種

鉤手《ゴウショウ》

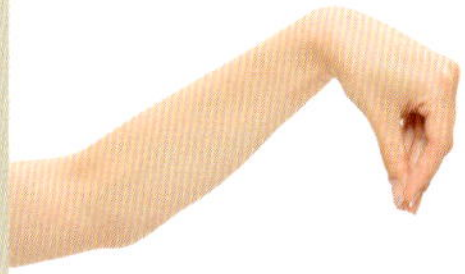

手首を曲げ、指先を中心に集めてものをつまみ上げるようにする形。

拳《チュアン》

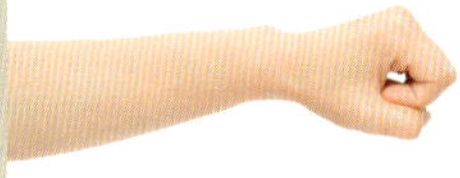

こぶしを握った形。うずらの卵を持つようにふわっと軽く。

掌《ジャン》

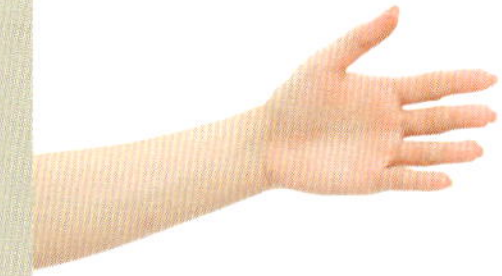

自然に開いた手の形。あらゆる動きで、もっとも多く使われます。

動きの中では、手の先、足の先、鼻の先をそろえるのが基本。目線は柔らかに動かす手先に向けます。

DVD 1-3

基本形 6

歩《ある》き方《かた》

前進はかかとから、後退と横はつま先から

太極拳では、足の運びに合わせて、重心をゆっくり確実に移動させることが大切です。

前進する時はかかとから踏み出し、後退する時や横に移動する時はつま先から踏み出すことが基本。また、出した足に完全に重心を移すまで、もう一方の足は上げないことも大切です。片方の足が安定していると、もう一方の足をスムーズに動かすことができ、なめらかな動作になります。この足の運びを繰り返すだけでも、足腰が鍛えられるはずです。

ここでは足の運びだけを紹介していますが、腰が動きの中心となり、前進する時は手が先導し、後退する時は足が先導して動きます。

前に進む

1 背筋を伸ばし、両足をそろえて、まっすぐ立ちます。

2 両ひざをゆるめます。

後ろにさがる

1 背筋を伸ばし、両足をそろえて、まっすぐ立ちます。

2 両ひざをゆるめます。

3 左足を斜め前に、かかとから踏み出します。

4 左ひざを曲げて、重心を左足に移していきます。

5 右足のかかとを上げ、つま先を左足に引き寄せます。

6 右足のつま先を左足のつま先にそろえ、かかとを下ろします。

3 右足のかかとを上げ、右斜め後ろにつま先を着きます。

4 右足のかかとを着き、右ひざを曲げて右足に重心を移していきます。

5 左足のかかとを上げ、つま先を右足に引き寄せます。

6 左足のつま先を右足のつま先にそろえ、かかとを下ろします。

横に歩く

1 背筋を伸ばし、両足をそろえて、まっすぐ立ちます。

2 両ひざをゆるめます。

3 左足のかかとを上げ、左斜め横につま先から着きます。

4 左足のかかとを下ろして重心を左足に移し、右足のかかとを上げます。

5 右足を左足に引き寄せて、両足をそろえます。

6 1の姿勢に戻ります。

PART 2

まずはトライ！八段錦

八段錦は、中国に古くから伝わる8種類の健康運動法です。準備・整理運動として、二十四式太極拳の前後に行うのにぴったりです。体調や時間に合わせ、いくつか組み合わせて行ってみましょう。

八《はち》段《だん》錦《にしき》

独立した8種類の健康体操。一段ずつそれぞれに異なる効能が！

八段錦とは、中国で800年ほど前に生まれたとされる健康体操です。一段ずつ独立した8種類の運動で、それぞれに異なる効能があります。

ゆっくりとした、とても簡単な動きですが、全身の筋肉をいろいろな方向や角度に伸縮させるため、体を動かす心地よさを実感できます。

八段錦とは？

各2分前後で行える8種類の独立した運動

八段錦は、一段から八段まですべて通して行っても15分程度で終わる運動ですが、それぞれに独立した運動で効果が違うので、ひとつの段だけでも、複数の段を組み合わせて行ってもよい自由さ、手軽さが魅力です。

「毎日続ける自信がない」という人でも、思い立った時に行うだけで、体がほぐれる実感を得られるはずです。

背筋を伸ばして立つことから始めます

八段錦の始め（開始）と終わり（完了）はすべて左足を動かして両足を閉じ、両手を自然に体の横に下ろして立った姿勢になります。

背筋を伸ばし、全身から余分な力を抜いて、まっすぐ前を向いて立つ姿勢は、基本形の立禅《りつぜん》（⬇P12）と同じです。正しい姿勢は、八段錦でも太極拳と同様に、すべての基本となります。

太極拳の前後に行う運動におすすめ

八段錦は、太極拳の準備運動や整理運動として行うとよいでしょう。筋肉をほぐして気分をリラックスさせるなど、心身の鎮静にも効果的です。

八段錦の短い運動を覚え、まずは体を動かす気持ちよさや楽しさを感じることが気分転換に、また、二十四式太極拳のやる気にもつながっていきます。

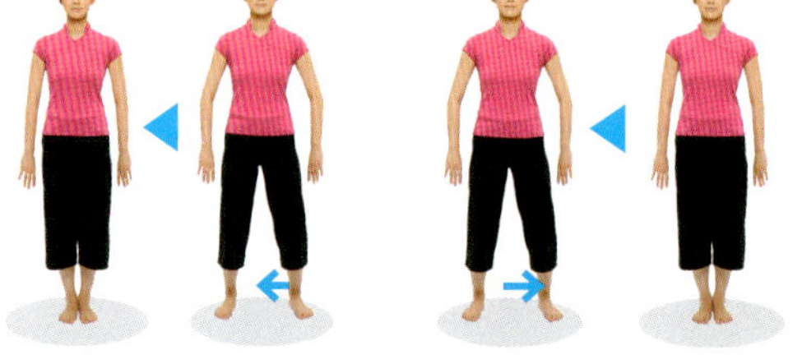

八段錦は自然立ちで始まり、自然立ちで終わります。
いずれも左足を動かして基本姿勢になります。

なぜ健康にいいの？

症状別に選んでマイペースでできます

八段錦は「医療体術」とも呼ばれ、一段ごとにそれぞれ特定の健康効果が期待できる動きになっています（左下表参照）。

その日の体調や生活の場面、目的に応じて段を選び、短時間でできるのが特徴です。

たとえば、「最近、ストレスがたまっているから三段錦」「胃腸の調子が悪くて便秘ぎみなら一段錦と八段錦」など、単独でも、組み合わせても、毎日繰り返し行うことで、序々に体調が改善されていきます。

背伸びをすることと同じくらい気軽に

太極拳に比べると、八段錦の動きはやさしく、覚えるのも簡単です。

朝の起き抜けの目覚めをよくするため、あるいは寝る前に寝つきをよくするため、また、仕事や家事の合間にリフレッシュするためなど、ちょっと背伸びや深呼吸をするのと同じ感覚で、気軽に行ってみましょう。

構えずに、こまめに体を動かすだけでも、心身のバランスがとれ、より健康的に過ごせるはずです。

八段錦は、自分の気を自ら養う内気功であり、スポーツや仕事の効率を上げることにも効果的な運動とされます。

効果的な練習法は？

まずは、呼吸や形にこだわらず行うこと

八段錦の呼吸は、鼻からゆっくり息を吸っておなかまで入れ、鼻から細く長く吐き出しておなかをへこませる、ゆったりとした腹式呼吸です。ただし、慣れないうちは腹式呼吸を意識し過ぎず、自然な呼吸をしながら体を動かしましょう。呼吸に気をとられて動きがぎこちなくなるより、肩や腕、ひざなどの力を抜いて、リラックスした状態で行うことが、まずは大切です。

また、腰の落とし加減、かがみ具合などを、最初から写真やDVDに合わせようとせず、自分のできる範囲で行いましょう。その日の体調や自分の体力や筋力に合わせて、無理せず行うことがもっとも大切です。まずは、体を動かす気持ちよさ、楽しさを優先しましょう。

慣れたら鏡の前でチェックしましょう

繰り返し練習を続けるうちに、無理なく動けるようになり、呼吸と全身の動きを合わせられるようになってきます。ある程度慣れてきたら、鏡の前で姿勢や形を見直してみましょう。

〈各段の効能早見表〉

型	ページ	おもな効能
第一段錦	P24	肩、腕のこり／食欲不振／胃もたれ／二の腕、ウエストの引き締め
第二段錦	P26	動悸／息切れ／バストアップ／脚の引き締め
第三段錦	P28	内臓の活性化／ストレス／不安感／不眠
第四段錦	P30	背骨の歪み／肩こり／冷え性／便秘／内臓の活性化
第五段錦	P32	首、肩のこり／ストレス／ヒップアップ／足腰の強化
第六段錦	P34	腰痛／関節痛／生理痛／便秘／食欲不振／むくみ／ウエストの引き締め
第七段錦	P36	全身のシェイプアップ／バストアップ／高血圧・低血圧／無気力・倦怠感
第八段錦	P38	関節痛／便秘／痔の予防／下半身のシェイプアップ／疲労回復

DVD 2-1

第一段錦

双《シュアン》手《ショウ》托《トゥオ》天《ティエン》理《リー》三《サン》焦《ジャオ》

両手を上に伸ばし内臓の圧迫感を除く運動

◉両手をしっかり上に伸ばし、深く呼吸することで、肩から腕、ウエスト回りの筋肉を鍛えます。また、内臓の働きを活性化し丈夫にします。

時間の目安

約1分20秒

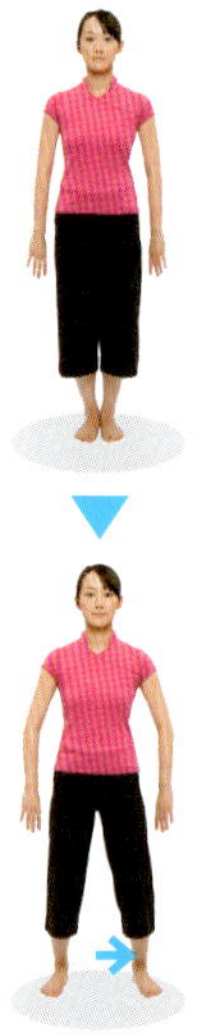

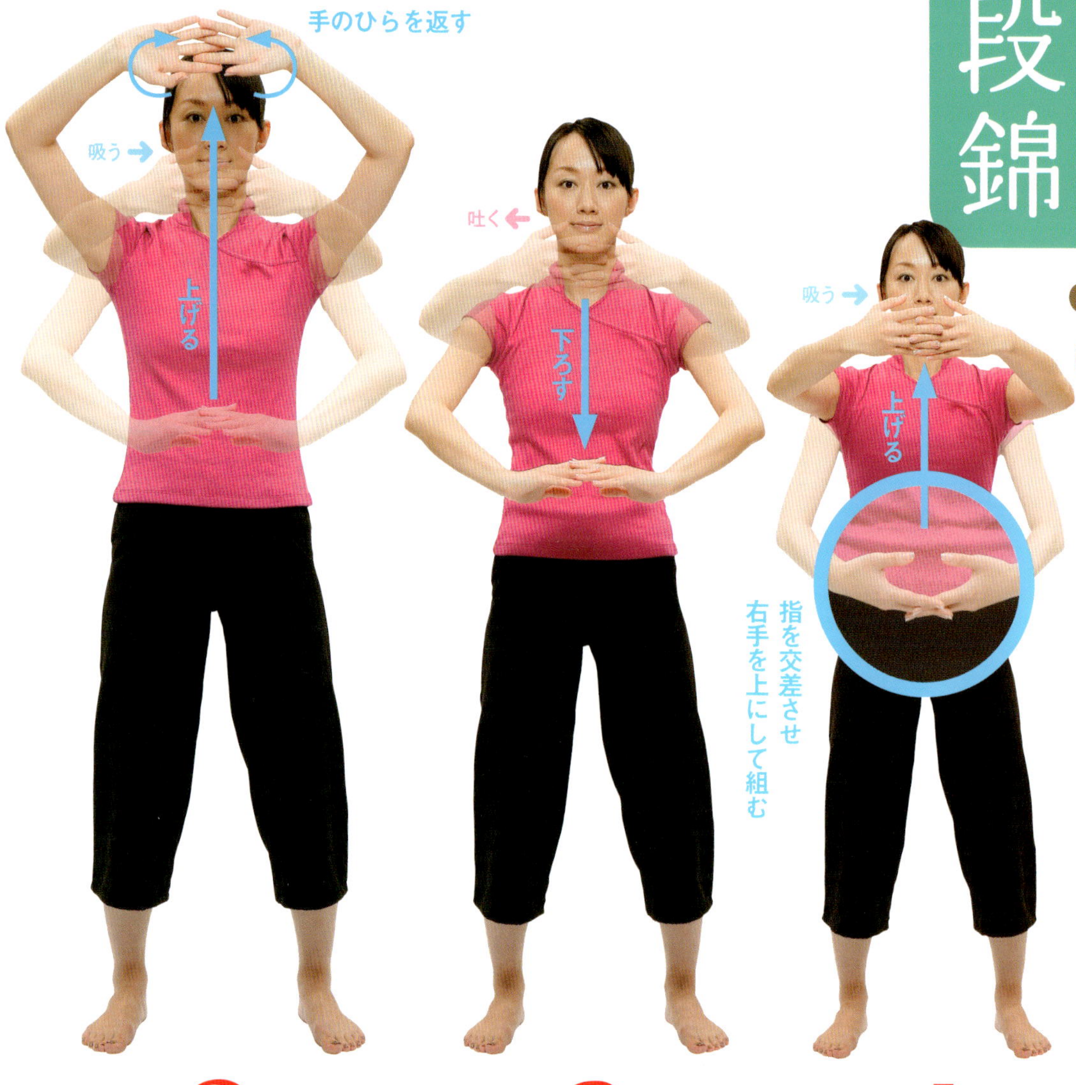

1 両手を組んで上げる

両手をおへその位置で組みます。息を吸いながら、両手のひらを内側に向けて肩の高さまで上げます。

2 手のひらを返して下ろす

手のひらを下に向け、ゆっくり息を吐きながら、おへその前まで下ろします。

3 手のひらを内側に向けて上げる

手のひらを内側に向け、息を吸いながら、再び上げます。顔の前で手のひらを返して外側に向け、さらに上に伸ばします。

ココに効く！ 肩、腕のこり｜食欲不振｜胃もたれ｜二の腕、ウエストの引き締め

大きな弧を
描くように
下ろす
吐く
両ひじは
伸ばしきらない
内臓を
引き上げるように

POINT
両手はできるだけゆっくり動かします。慣れないうちは息つぎをしてもOKです。

5
両手をほどいて下ろす
両手をほどき、息を吐きながら、ゆっくりと左右に弧を描くようにして下ろします。

4
上半身を伸ばす
両手を頭上まで上げ、上半身を伸ばします。

完了

上達 楊慧先生のアドバイス
できるだけ深く呼吸をし、両手を上に伸ばす時には、体を上下に開くような意識で行いましょう。

DVD 2-2

第二段錦

左《ズオ》右《ヨウ》開《カイ》弓《ゴン》似《シー》射《シャ》雕《ディアオ》

馬にまたがるように立ち 左右に弓を射る運動

◉腰を落として立つ「騎馬立ち」によって、足腰の筋肉が強化されます。また、弓を射るポーズをし、胸を大きく開いて呼吸するため、心肺機能が高まります。

時間の目安

約2分20秒

開始

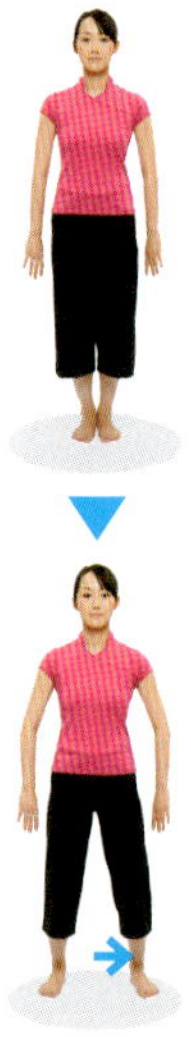

1

腰を落とす

左足を肩幅の倍に開いて立ちます。ゆっくり息を吐きながら、腰を落として騎馬立ちになり、両手を前に下ろします。

2

軽くこぶしを握る

両手を軽く握ってこぶしを作り、ゆっくり息を吸いながら引き上げ、同時に腰も少しずつ浮かせていきます。

3

左手をVサインに

そのまま左手の人差し指と中指を立ててVサインをつくります。

ココに効く!

動悸 | 息切れ | バストアップ | 脚の引き締め

上達 楊慧先生のアドバイス

1、**4**、**5**の騎馬立ちは最初から無理に姿勢を低く保つ必要はありません。徐々に慣れていきましょう。

吸う
吐く

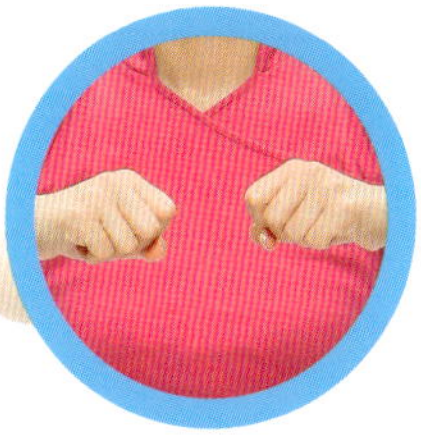

5

両手を下ろす

息を吸いながら両手を体の正面に戻し、こぶしを作ります。息を吐きながら腰を落とし、こぶしをほどいて体の前に下ろします。

POINT

腰を深く落としながら、背筋は伸ばしておくこと。また、右ひじが下がらないように注意します。左手は、Vの字にします。

正面

目線は
立てた２本の指の間を追う
吐く
胸を広々と左右に
開くイメージで
右ひじは水平に保ちながら、右手を胸に引き寄せる

4

弓を射るポーズを

ゆっくり息を吐きながら、右手は胸に引き寄せ、左手は横に押し出します。左手の動きを目線で追いながら、首を左にゆっくり回します。

完了

左右逆にして**2**～**5**を繰り返します

DVD 2-3

第三段錦

調《ティアオ》理《リー》脾《ピー》胃《ウェイ》須《シュ》単《ダン》挙《ジィ》

時間の目安

約2分

片手ずつ上げ下ろし 上半身を伸ばす運動

◉片手ずつ伸ばし、大きく弧を描くように回すことで、からだの左右のバランスがとれます。また、上半身が伸び、胃腸を中心とした内臓が活性化されます。

開始

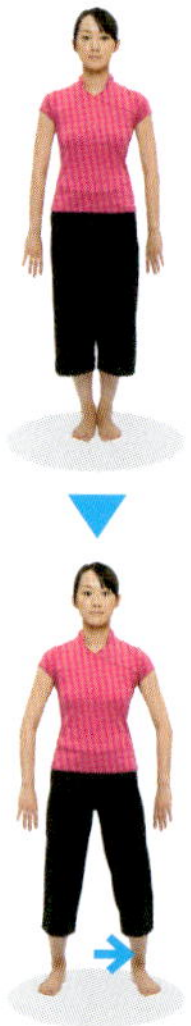

1

両手を上げる

ゆっくり息を吸いながら、両手のひらを上に向けて、前に上げていきます。

2

手のひらを返し、下ろす

肩のあたりまで上げたら、両手のひらを返して下に向けます。ゆっくり息を吐きながら、みぞ落ちのあたりまで下ろします。

ココに効く！ 内臓の活性化 ｜ ストレス ｜ 不安感 ｜ 不眠

上達 楊慧先生のアドバイス

呼吸が大事です。ゆっくりとした動作に合わせ、細く、長く、深く呼吸するように心がけましょう。

POINT
背筋をまっすぐ伸ばし、背骨を中心に左右のバランスを保ちながら腕を動かします。

吐く
吸う
大地を押さえるように

3

左手は上、右手は下に

ゆっくり息を吸いながら左手を上げ、徐々に手のひらを返して上に向けていきます。右手は体のわきに下ろし、手のひらを下に向けて大地を押さえるようにします。

4

左手を上げきったら、下ろす

左手を頭上まで押し上げたら、ゆっくり息を吐きながら、弧を描くようにしてゆっくりと体のわきまで下ろします。

反対側も同様に

完了

DVD 2-4

第四段錦

五《ウー》労《ラオ》七《チー》傷《シャン》往《ワン》后《ホウ》瞧《チャオ》

ゆっくり首を動かし 気の巡りを高める運動

◉「五労」とは心臓、肝臓、脾臓《ひぞう》、肺、腎臓《じんぞう》の病気、「七傷」は排泄や生殖機能などの異常をさし、気を導く動きにより、これらの予防に役立ちます。

時間の目安

約2分

開始

▼

吸う
大きな風船を持ち上げるイメージ

1

両手を前に上げる

両手のひらを上に向け、ゆっくり息を吸いながら肩の高さまで前に上げます。

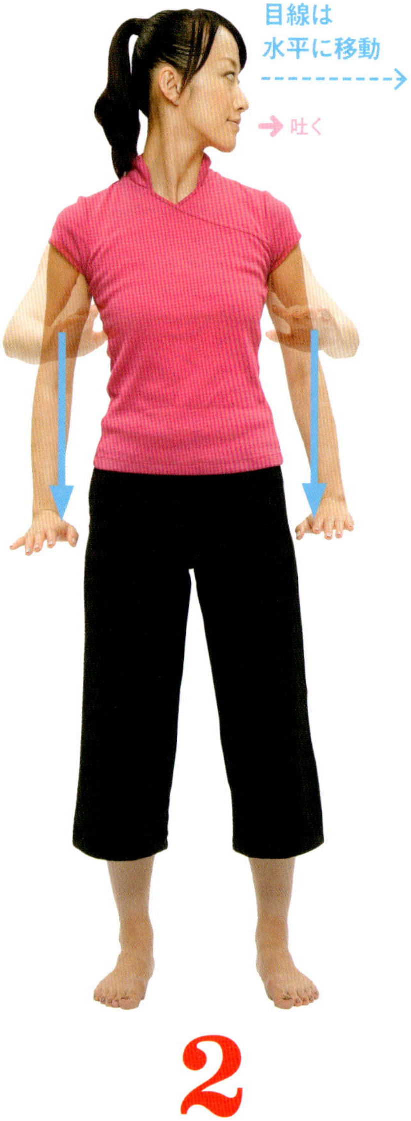
目線は水平に移動
吐く

2

手を下ろし、首を左へ回す

肩の高さまで上げたら、手のひらを返して下に向け、ゆっくり息を吐きながら下ろします。同時に、首をゆっくりと左に回します。

ココに効く！

背骨の歪み | 肩こり | 冷え性 | 便秘 | 内臓の活性化

上達 楊慧先生のアドバイス

背骨をまっすぐに伸ばし、肩が動かないように注意します。ゆっくり深い呼吸を意識して行うことも大切です。

POINT
左後方を見ながら、気を丹田（体の中心にあるツボ）から右の足裏へと導きます。

丹田
意識は
右足裏に

3

首は左後方、意識は右足裏に向ける

息を全部吐ききると同時に、両手はわきに下ろし、首は左後方に向くようにします。このとき、意識は右の足裏に。

目線は
水平に移動
吸う
吐く
肩が
上がらないように

4

両手を上げ、顔を正面に

ゆっくり息を吸いながら、両手を肩の高さまで上げます。同時に目線を水平に移動させながら首を正面に戻し、息を吐きながら腕を下ろします。

反対側も同様に

完了

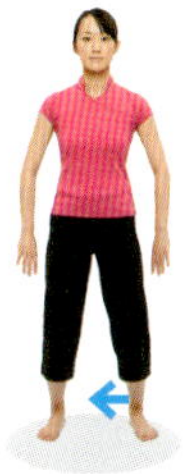

▼

第五段錦

DVD 2-5

揺《ヤオ》頭《トウ》擺《バイ》尾《ウェイ》去《チュイ》心《シン》火《フォ》

上半身を大きく回し 心身の緊張をほぐす運動

◉足を大きく広げて腰を落とす「騎馬立ち」になり、背筋を伸ばしたまま、腰を軸に上半身を回すことで、心の火（緊張状態）をほぐし、同時に、足腰を鍛えます。

時間の目安 約2分

✕これはNG!

肩が内側に入らないように、背筋を伸ばして行います。

開始

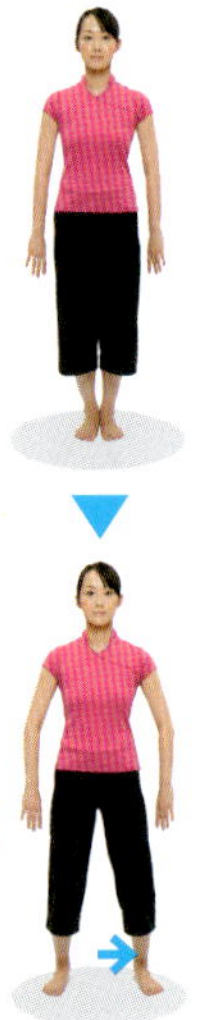

1 腰を落とす

左足を肩幅の倍に開いて立ちます。腰を落として騎馬立ちになり、両手は親指を後ろにして太ももにおき、息を吸います。

背筋を伸ばす
吸う
腰を落とす

2 上体を右から左へ回す

首を回して右を向きます。ゆっくり息を吐きながら上体を前に倒し、腰を軸にして、右から左へゆっくりと回します。

吐く
頭で半円を描くように

ココに効く！ 首、肩のこり ｜ ストレス ｜ ヒップアップ ｜ 足腰の強化

目線は右足の土踏まずに
吸う

3
首を右に回す
左ひざの上で上体を止め、息を吸いながら、首をゆっくり右に回して右足の土踏まずを見ます。

吐く

4
首を元に戻す
息を吐きながら、ゆっくりと首を元に戻します。

吸う
頭で半円を描くように

5
上体を左から右に回す
ゆっくり息を吸いながら、上体を**2**と同様に右ひざの上まで回します。

上達 楊慧先生のアドバイス
騎馬立ちのまま行うハードな運動です。腰を中心に背筋をまっすぐ伸ばし、腰がひけた状態にならないように注意。

吸う
吐く

6
正面を向く
息を吐きながら上体を起こし、ゆっくり息を吸いながら正面を向きます。

完了

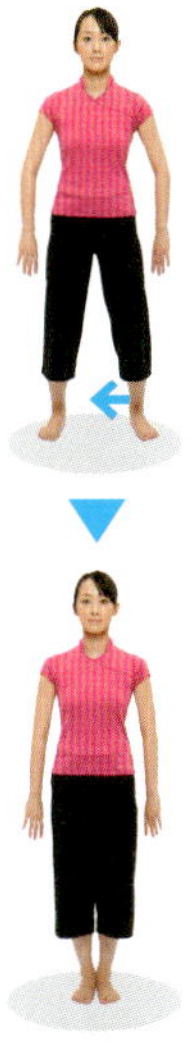

左右逆にして**2**～**6**を繰り返します

DVD 2-6

第六段錦

両《リャン》手《ショウ》攀《パン》足《ズー》固《グゥ》腎《シェン》腰《ヤオ》

全身を大きく動かし 血の巡りをよくする運動

◉体の屈伸と回転を組み合わせて、全身の筋肉をくまなくほぐしながら、内臓に刺激を与えて働きを活発にします。血流もよくなり、体が温まります。

時間の目安

約2分20秒

開始

1 両手を前に上げる

両手のひらを下に向け、ゆっくり息を吸いながら、肩の高さまで前に上げます。

2 両手を下ろす

ゆっくり息を吐きながら、手のひらを下に向けたまま両手を腰のわきまで下ろします。

3 両手を押し上げる

ゆっくり息を吸いながら、両手のひらを立てて上げます。肩の高さで両手のひらを上に向け、頭上まで伸ばします。

4 両手を交互に伸ばす

両手を交互に、頭上まで伸ばして引き上げます。自然呼吸で5～6回繰り返します。

ココに効く！ 腰痛｜関節痛｜生理痛｜便秘｜食欲不振｜むくみ｜ウエストの引き締め

5 両手を伸ばす

ゆっくり息を吸いながら、両手のひらを上に向けて、頭上まで伸ばします。

6 上体を回す

両腕を伸ばしたまま、腰を軸にして円を描くように、上体を右から左へゆっくり回します。3回繰り返し、反対側も同様にします。

7 両手を交互に伸ばす

手の動きに合わせて自然呼吸をしながら、4と同じ動作を繰り返します。

8 両手を伸ばす

ゆっくり息を吸いながら、5と同じ動作をします。

吸う
吐く
吸う
吐く
吸う
吸う
かかとが浮かないように

9 上体を前へ倒す

ゆっくり息を吐きながら、両手が床に着くように上体を前へ倒して折り曲げ、足首をつかんでアキレス腱を伸ばします。その後、息を吸いながら、上体を起こします。

吐く
吸う
足首は外側からつかむ

完了

上達 楊慧先生のアドバイス

手の上げ下げに合わせながら気持ちよく呼吸をします。上体を倒すときは、床や足首に手が届かなくても大丈夫。

DVD 2-7

第七段錦

攢《ザン》拳《チュエン》怒《ヌー》目《ムー》増《ゼン》気《チー》力《リー》

目を見開き、こぶしを突き出して気を込める運動

◉突き、払いという武術の動きを原型とし、全身の筋肉を使うハードな動きです。こぶしを握って突き出し、こぶしをにらみつけるようにして気力を込めましょう。

時間の目安

約2分10秒

開始

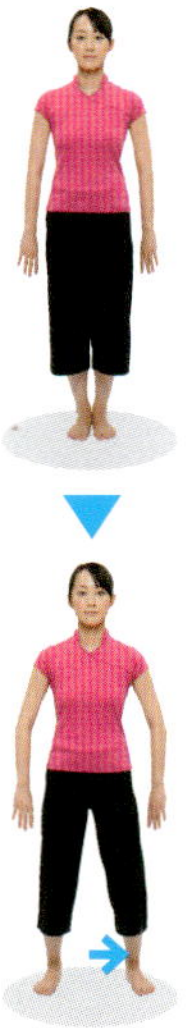

POINT
こぶしと、こぶしを見つめる目線に気を込め、力強い動作をします。

目線は左こぶしの先
吐く
左前方に突き出す
吐く
吸う
ひざを曲げる
腰を落とす

1

こぶしを作る

左足を肩幅の倍に開いて立ちます。ゆっくり息を吐きながら腰を落として騎馬立ちになり、両手を前に下ろします。ゆっくり息を吸いながら固めのこぶしを作り胸の高さまで引き上げます。

2

左こぶしを突き出す

胸の前で一度こぶしを立て、ゆっくり息を吐きながら、左こぶしを左前方に突き出し、右ひじを斜め後ろに引きます。このとき腰は落とします。

吸う
こぶしを立てる
右ひじは水平に引く

3 両こぶしを戻す

ゆっくり息を吸いながら、両こぶしを胸の前に戻して立て、腰を少し浮かせます。

吐く

4 腰を落とす

ゆっくり息を吐きながら、腰を落とします。

吸う

5 両こぶしを頭上に

ゆっくり息を吸いながら、両手を上げます。頭上まで腕を上げたら、こぶしを返して上向きにします。

上達 楊慧先生のアドバイス

握ったこぶしにしっかりと気を込め、下腹にぐっと力を入れて下半身を安定させながら行います。

吐く
弧を描くように下ろす

6 両手を下ろす

こぶしをほどき、ゆっくり息を吐きながら、両手を下ろします。

反対側も同様に

完了

DVD 2-8

第八段錦

背《ベイ》后《ホウ》七《チー》顛《ディエン》百《バイ》病《ビン》消《シャオ》

つま先立ちで脊《せき》柱《ちゅう》を刺激し 万病に効く運動

◉つま先立ちの後、かかとをすとんと落とす振動が全身に伝わり、固くなった関節をほぐします。また、意識的に肛門を締めることで痔の予防にも効果的です。

時間の目安

約1分

開始

吸う
こぶし1つ分
くらい開く

1

両手を上げる

こぶし1つから1つ半くらいに左足を寄せて立ちます。ゆっくり息を吸いながら、両手のひらを下にして、肩の高さまで前に腕を上げます。

両ひじは軽く曲げる
吐く
手のひらは
下に向ける

2

両手を下ろす

ゆっくり息を吐きながら、両手を下ろします。

ココに効く！ 関節痛 ｜ 便秘 ｜ 痔の予防 ｜ 下半身のシェイプアップ ｜ 疲労回復

上達 楊慧先生のアドバイス

3のつま先立ちで息を吸い、そのまま息を止める動作は、できるだけ意識して下腹部とおしりを引き締めるようにします。

POINT
口から息を吐きながら力を抜いて、かかとを落とします。全身に心地よく振動が伝わります。

吐く

4
かかとを落とす
息を吐きながら、体の力を抜いて、かかとを落とします。このときひざを軽く曲げ、両手も自然に下ろします。

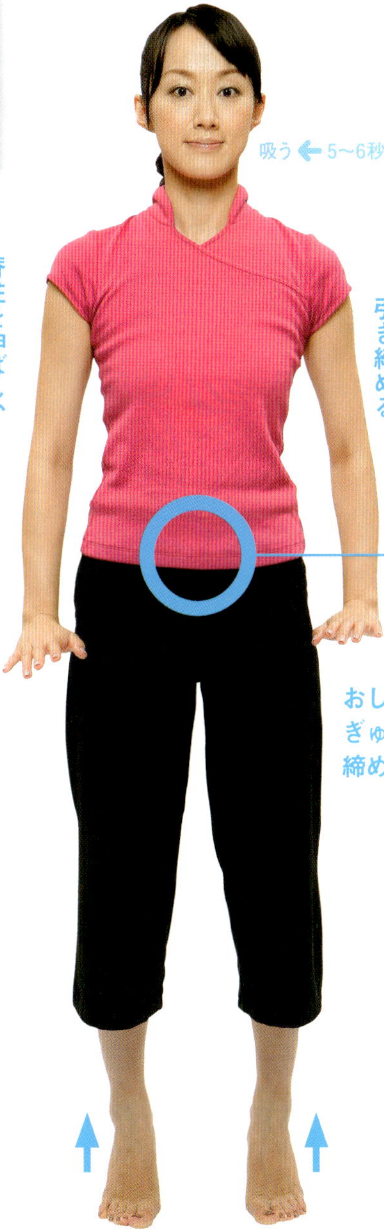
吸う 5～6秒息を止める
脊柱を伸ばし、全身の気を引き上げるイメージで
下腹をへこませて引き締める
おしりをぎゅっと締める

3
かかとを上げる
ゆっくり息を吸いながら、両足のかかとを上げます。つま先立ちのまま、息を5～6秒間止めます。

完了

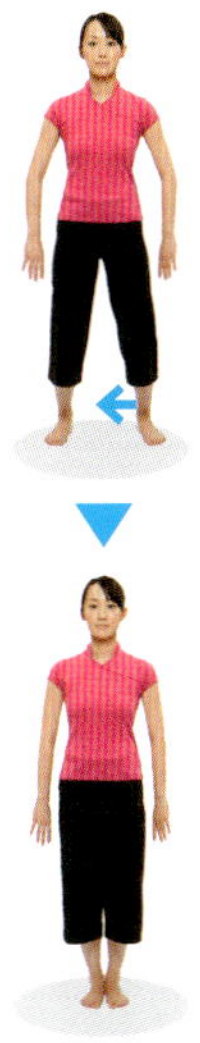

八段錦なら、いつでもどこでもできる！

朝

屋外で新鮮な空気を吸いながら

朝に行う八段錦は、心身をすっきりと目覚めさせ、1日の活力をわかせます。朝日を浴びながら、新鮮な空気をたっぷりと体内に取り込み、〝気〟を体の隅々まで行き渡らせましょう。早朝の公園など、自然の中で行えば気分も爽快です。出かけるのが難しければ、ベランダに出たり、窓を開け放った室内で行うだけでも、すっきり感や充実感が違います。ぜひ、お試しを！

昼

デスクワークの合間に、座ったままで

パソコン作業やデスクワークなどで長時間座ったままでいると、眼精疲労や首・肩・背中のこり、腰痛などを感じるもの。こんなときこそ、八段錦で体をほぐしてリフレッシュしましょう。イスに腰かけたまま、上半身のみを動かすだけでも、滞った〝気〟の流れを促し、疲労感を軽減する効果があります（⬇P108）。ただし、痛みがある場合は無理をせず、痛みを感じない範囲で体を動かしましょう。

夜

お風呂上がりや寝る前に心身をリセット

深く長い呼吸に合わせて行う八段錦は、ストレスから心身を開放するのにもうってつけです。しかも、八段錦は一つひとつが独立した動きになっているため、できるところだけ気楽に行える点もグッド。無心になり、ゆるやかな動きで手足を動かし、〝気〟の流れをスムーズにすれば、良質の睡眠が得られるだけでなく、夜の間にしっかりと老廃物をデトックスする準備やエネルギーを蓄えることができます。

♪

音楽をかけたり、お香をたいても

八段錦には、心身の緊張をときほぐし、リラックスさせる効果があります。たとえば、ゆったりとした音楽を聴きながら、あるいは、お香やアロマオイルなどの香りに包まれながら行えば、その効果はさらにアップ。「練習をする」とか「運動をする」と気負わなくても、日常生活の中、いつでもどこでも時間があるときに気軽に気持ちよくできるのが、八段錦のいちばんの魅力といえるでしょう。

PART 3

いよいよ実践!

二十四式太極拳

二十四式太極拳は、24の動きをつなげ、深く呼吸をしながら、ゆったりと行う運動です。すべてを通して行うことで全身の調子が整い、気の流れがよくなって、健康が維持できます。

二十四式太極拳《にじゅうよんしきたいきょくけん》

気の流れをスムーズにし
全身バランスを整えて健康に！

古代中国に生まれた養生法はほとんどが、気の通り道とされる経絡《けいらく》を調整し、気の流れをよくする療法です。太極拳も例外でなく、ゆるやかで、しなやかな24の全身の動きを連続して行い、深くゆったりとした呼吸との相乗効果で経絡を開き、健康な体へと導いていきます。

二十四式太極拳とは？

人体にある経絡を刺激する24の動き

中国では、人間の生命エネルギーを「気」ととらえ、その通り道である「経絡」が、全身に複数張り巡らされていると考えられています。

この経絡を刺激し、開いて、気の流れをよくするように考えられて生まれたのが二十四式太極拳です。1式から24式までの動きはそれぞれいくつかの経絡を刺激し、ひと通り終えると、すべての経絡が開かれるしくみです。

生命の源、気を全身に滞りなく巡らせる

気は人によって感じ方が違います。手のひらが温かくなったり、指先がぴりぴりするのを感じたら、それが気です。気を全身あるいは鍛えたい部分に届ける、移動させるという意識で行うと効果がアップします。

このように、気に対する意識をもって練習を続けることで、日常的に気の流れがよくなり、より健康に、元気に、美しくなれるのです。

なぜ健康にいいの？

腹式呼吸と有酸素運動で、心身共に効く

深く腹式呼吸をして酸素を取り入れながら筋肉の伸縮を行う太極拳は、エアロビクスやウォーキングと同じ有酸素運動です。ゆっくりとした動きで、全身の筋肉をくまなく鍛え、脂肪を燃焼させることができます。そうして基礎代謝をアップすれば、太りにくく、やせやすい体質に近づくことができるのです。

また、腹式呼吸は自律神経に働きかけ、心身をリラックスさせる効果があります。

ですから、太極拳をすることで心が落ち着き、ストレスが癒《いや》されて、心身ともに健康になれるのです。

効果的な練習法は？

動きがなめらかにつながるように練習を

P44以降のプロセスには呼吸法や足の運びなどにも触れていますが、はじめのうちは

形がきれいでなくても構いません。できる範囲で、気持ちよく、動きがなめらかにつながるように練習しましょう。ある程度流れを覚えたら、少しずつ部分の練習を進めることをおすすめします。

とにかく続けることがなにより大切なこと

太極拳は24式でひとつのものですが、9式までの前半、10式以降の後半に大別することができます。

前半は「不老拳《ふろうけん》」と呼ばれ、比較的ゆるやかな動きが中心です。後半は「百花拳《ひゃっかけん》」と呼ばれ、足腰を使うストレッチ効果が高い動きになります。

本来は24式を通して行うのがベストですが、時間がなかったり、体調が万全でない時などは、効能などを参考にして部分的に行ってもかまいません。続けることがなにより大切なのです。

〈各式の効能早見表〉

式名	ページ	おもな効能
1式	P45	頭痛／生理不順／胃腸トラブル
2式	P46	むくみ／下痢·便秘／頭痛／首、肩、背中の痛み
3式	P50	のどの痛み／胸の痛み／むくみ／動悸
4式	P52	動悸／下痢·便秘／イライラ／首、背中の痛み
5式	P56	全身疲労／不安感／胃炎／頭痛
6式	P58	息切れ／動悸／ストレス／肩、腕の痛み
7式	P62	のどの痛み、腫れ／動悸／不眠／肩、腕の痛み
8式	P66	のどの痛み、腫れ／動悸／不眠／肩、腕の痛み
9式	P70	頭痛／腰痛／下痢·便秘／生理痛
10式	P72	発熱／耳鳴り／目の充血、疲れ／肩、腕の痛み
11式	P76	頭痛／腰痛／下痢·便秘／生理痛
12式	P78	息切れ／頭痛／歯痛／首、背中の痛み／むくみ
13式	P80	ストレス／肩、背中の痛み
14式	P82	息切れ／歯痛／不安感／腹部の膨満感
15式	P84	不眠症／食欲不振／むくみ
16式	P86	のどの痛み／下痢·便秘／むくみ
17式	P88	肩の痛み／のどの痛み／ひざの痛み
18式	P90	頭痛／首、背中の痛み／胸の痛み
19式	P92	せき／肩の痛み／胸の痛み／不安感
20式	P94	頭痛／首、背中の痛み／下痢·便秘／不安感
21式	P96	発熱／耳鳴り／肩の痛み
22式	P100	胸の痛み／動悸／肩、腕の痛み
23式	P102	耳鳴り／首、肩、ひじの痛み
24式	P103	動悸／イライラ／不安感

DVD 3-0

十《シー》字《ズー》手《ショウ》

準備

両手を頭上で十字に組む動き

◉導入となる動きです。両手をゆっくり大きく円を描くように回しながら、心を落ちつけ、呼吸を整えましょう。

時間の目安
約40秒

開始

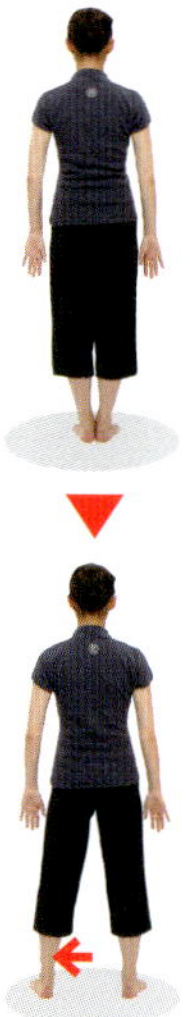

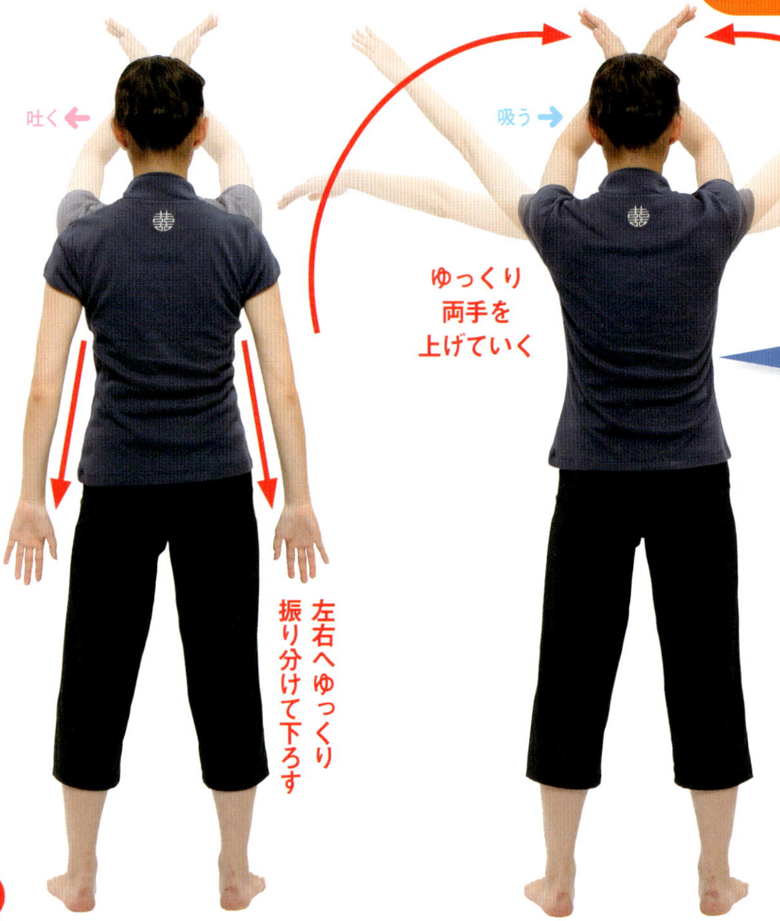

吐く
吸う
ゆっくり
両手を
上げていく
左右へゆっくり
振り分けて下ろす

POINT
左手が手前、右手が外側になります。左手で心臓を守り、右手で攻撃する武術の構えが原型です。

左手
右手

1式 P45へ続く

2 手を下げて体のわきに

ゆっくり息を吐きながら、両手を交差したまま胸の高さまで下ろし、そこから両手を離して徐々に両わきに戻します。

1 両手を頭上で組む

ゆっくり息を吸いながら、両手を横に開いて上げていき、頭上で右手が外側になるようにして交差させます。

上達 楊慧先生のアドバイス

呼吸を整える動きです。ゆるやかな動きに呼吸を合わせ、途中で止めないようにしましょう。手を上げる時は手首や腕、肩に力を入れずに、腰から背中の緊張をほぐすような気持ちで行います。

足の運び

ココに効く! | 頭痛 | 生理不順 | 胃腸トラブル

DVD 3-1

起《チー》勢《シー》 1式

始めの姿勢

◉「起」は始め、「勢」は形という意味です。深く長い呼吸に合わせて、ていねいに手を上下させ、心を鎮めましょう。

時間の目安 約10秒

正面

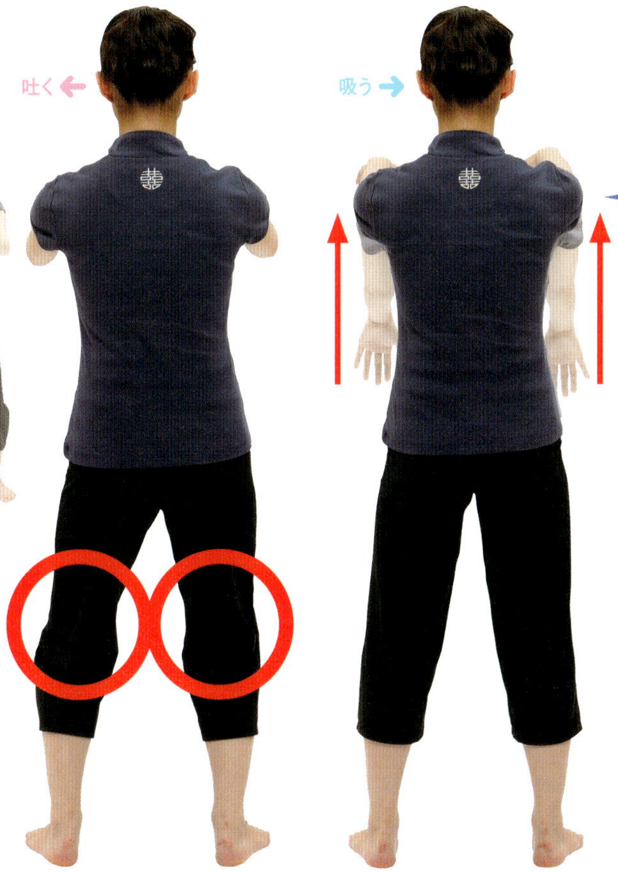

POINT
肩に力を入れないように。ひじやひざはピンと伸ばさず、軽くゆるめておきます。

開始

十字手最後のポーズ P44 の続き

2 ひざをゆるめ、腰を落とす

ゆっくり息を吐きながら、両手を胸の高さまで下ろし、同時に、両ひざをゆるめて腰を落とします。

1 両手を前に伸ばす

ゆっくり息を吸いながら、両手のひらを下に向けて腕を前に出し、そのまま肩の高さまで上げます。

上達 楊慧先生のアドバイス

両腕を上げる時は手のひらで大地の気を吸いあげるように、下ろす時は手のひらに空気の抵抗を感じるようにしながら、ていねいに行います。背筋は伸ばしたまま腰を落とし、おしりが突き出ないようにしましょう。

足の運び

2式 P46 へ続く

馬のたてがみを分ける動き

◉「鬃」とは馬のたてがみの意。たてがみを両手でやさしくかき分けるようにしながら、左右に進む動きを繰り返します。

DVD 3-2

野《イエ》馬《マー》分《フェン》鬃《ゾン》

2式

時間の目安 約1分

開始
1式最後のポーズ P45 の続き
吸う
右手は上へ
左手は下へ
右手
左手
右手のひらは下向きに
左手のひらは上向きに
上体を右へ回す

1
左手を下へ、右手を上へ
ゆっくり息を吸いながら、両ひざはゆるめたままで、左手は下へ、右手は上へ向けて、弧を描くように回し始めます。

2
両手でボールを抱える
右手は胸の高さまで、左手は腰の高さまで回して、胸の前でボールを抱えるようにします。体に手が近づき過ぎないように注意します。

3
重心を右足に移す
腕は**2**のまま、上体を右に回し、重心を右足に移します。両腕の位置が右ももの上までいったら、左足を上げ、つま先から右足へ寄せます。

足の運び

4
重心を左足へ移す

腕は**3**のまま、上体をゆっくり左へ回し、左足をかかとから左斜め前に踏み出します。ゆっくり息を吐きながら、徐々に重心を左足に移していきます。

5
左手を前へ伸ばす

左ひざを曲げて重心を移しながら、左手のひらを内側に向けて肩の高さまで伸ばし、右手のひらは下に向けて腰のわきまで下ろします。

POINT
左足には体重の7割をかけます。右足のかかとは着けたままにし、気の通りをよくします。

2式 P48へ続く

POINT
2（➡P46）の動きと反対に手を回します。柔らかくボールを抱えるように。

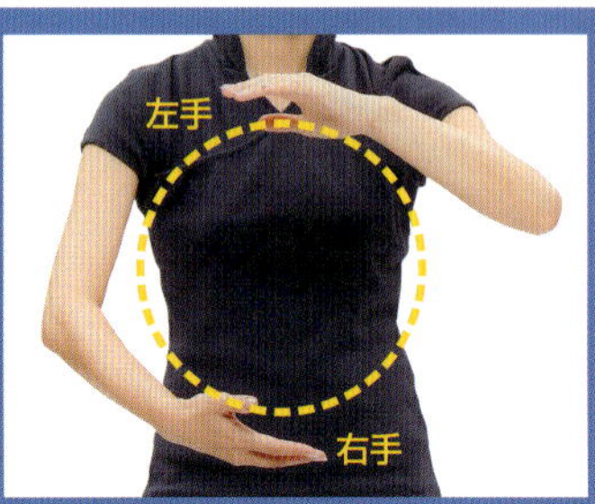

左手
右手

続き
2式 P47の続き

吸う
上げたつま先を少し外側へ開く
重心を右足へ移す

6 重心を右足へ移す

重心をゆっくり右足へ移し、左足のつま先を上げ、やや外側に向けます。自然に流れるような動きで行いましょう。

7 重心を左足に移す

上体をつま先の向きに合わせて少し左へ回し、左足のつま先を下ろして重心を左に移します。右足のかかとを上げ、両手を返してボールを抱え始めます。

8 右足を引き寄せる

右足を左足に引き寄せます。同時に、両手を弧を描くように回して、胸の前でボールを抱えるように向かい合わせます。

足の運び

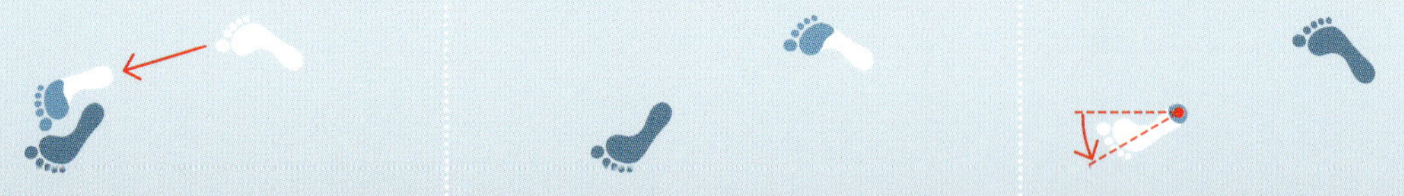

上達 楊慧先生のアドバイス

ボールは気が集まっている象徴。10で腕を伸ばす時は、気を全身に通すつもりで指先まで神経を集中させましょう。また、両足をしっかり着けて気の通りをよくします。できるだけ柔らかく動きましょう。

9
右足を斜め前に踏み出す

引き寄せた右足をかかとから、右斜め前に踏み出します。同時に、ゆっくり息を吐きながら、上体を右に回して重心を右足に移します。

POINT
踏み出した足が後ろの足と一直線にならず、ひざがつま先より前に出ないように。

10
右手を前へ伸ばす

右ひざを曲げて重心を右足に移し、右手のひらを内側に向けて肩の高さまで上げ、左手は下に向けて腰のわきまで下ろします。

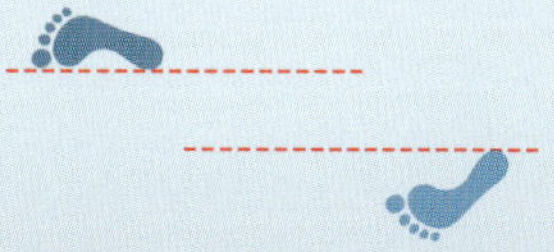

左右逆にして 6~10を繰り返します

3式 P50へ続く

白い鶴が羽を広げる動き

◉「亮翅」とは羽を開くことをさします。片足立ちで、両手を上げ下げしながら開き、鳥が翼を広げるような動きです。

DVD 3-3

白《バイ》鶴《フー》亮《リャン》翅《チー》

3式

時間の目安 約15秒

開始

2式最後のポーズ P49の続き

右足を
半歩引き寄せる

吸う
背筋は伸ばしたまま
かかとを下ろし
重心をかける

POINT
曲げた右ひざの高さは一定に保ちます。このひざの状態を最後までキープします。

1
重心を左足に移し、右足を寄せる
重心を左足に移し、右足のつま先を半歩前（左足のかかと付近）へ引き寄せます。

2
左足のかかとを上げる
右足につま先からゆっくりと重心を移し、ゆっくり息を吸いながら、左足をつま先立ちにします。

足の運び

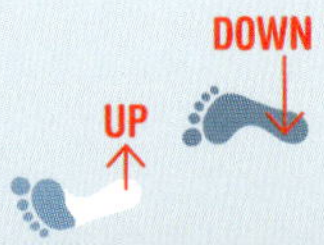

DOWN
UP

ココに効く！ | のどの痛み | 胸の痛み | むくみ | 動悸

POINT
背筋は伸ばし、重心は右足におきます。腰がぐらつかないように気をつけて。

上達 楊慧先生のアドバイス

鶴が翼を広げるところをイメージし、手を広げる時は、のびのびと優雅な動きになるようにしましょう。上げた右手で「天」、下ろした左手で「地」を表します。最後の**4**のポーズでは、目線は伸ばした右手の指先に向け、右手から右足へと気を下ろすように意識しましょう。

3
両手を斜め上下に開く
腰を動かさずに、上体をゆっくり右に回しながら、右手のひらは内側に向けて上げ、左手のひらは下に向けて下ろします。

4
右手指先を見る
そのまま上体を右に回しながら、目線は右手の指先に向けます。右手を頭上まで上げ、左手は腰のわきまで下ろします。

4式 P52へ続く

ひざを払いながら進む動き

●ひざ前を払いながら、攻め進んでいくイメージの動きです。
手で払いながら、左、右、左と3歩前進します。

摟《ロウ》膝《シー》拗《アオ》歩《ブー》 4式

時間の目安 約50秒

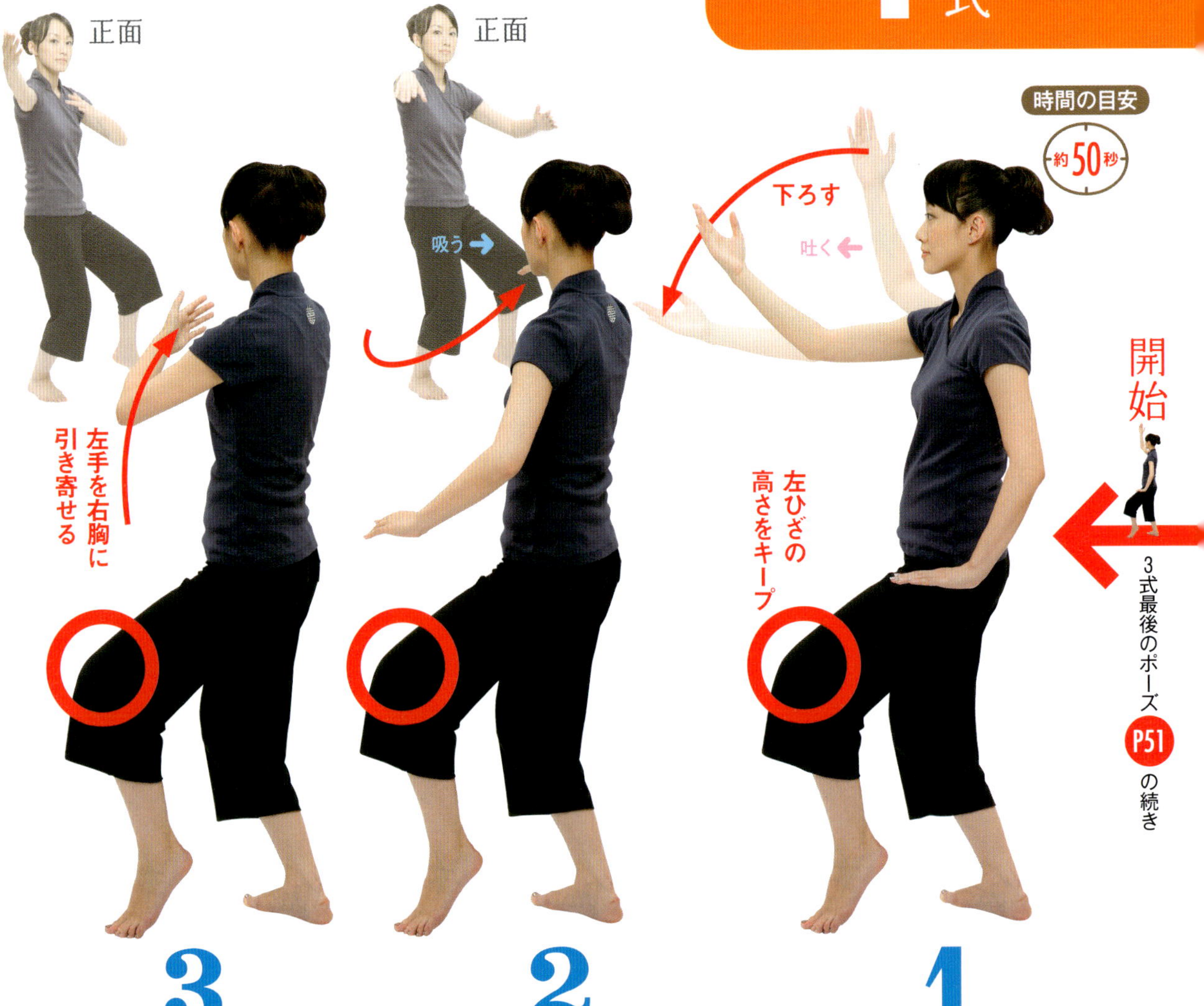

開始
3式最後のポーズ P51 の続き
下ろす
吐く
左ひざの高さをキープ
正面
吸う
正面
左手を右胸に引き寄せる

1 上体を正面へ戻す

ゆっくり息を吐きながら、上体を正面に戻し、右手のひらを内側に向けて弧を描くようにしながら胸の高さまで下ろします。

2 上体を右へ、右手を上へ

ゆっくり息を吸いながら、上体を右に回します。同時に、右手は体の前で弧を描きながら手のひらを返し、肩の高さまで上げます。

3 左手を胸に引き寄せる

左手を自然に上げていき、右胸の前まで引き寄せます。

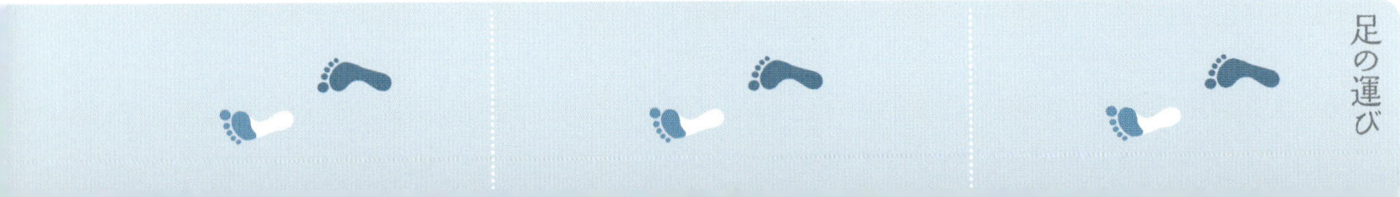

足の運び

ココに効く！ 動悸 | 下痢・便秘 | イライラ | 首、背中の痛み

上達 楊慧先生のアドバイス

5、9を行うときは、腕を水平に押し出して気を流します。このとき、踏み出した足に体重の約7割をかけ、後ろの足のかかとをしっかり地面につけて、気の通りをよくしましょう。目線は押し出した手の指先に向けます。

右手は
右耳の横に

目線は
右手の指先に
吐く
押し出す
体重の
約7割をかける
左手は
下ろしながら
下向きに
上体は
左へ回す
かかとが
浮かない
ように
かかとから
踏み出す

POINT
前に出した足のひざを曲げ、後ろの足を伸ばした時、足が一直線上に並ばないように注意しましょう。

4式 P54へ続く

4 左足を踏み出す

右手は右耳の横に寄せ、左手は下ろしながら手のひらを下向きにします。上体を左に回しながら、左手でひざ前を払い、左足をかかとから踏み出します。

5 右手を押し出す

ゆっくり息を吐きながら、左足に重心を移します。同時に、右手は肩の高さから前へ押し出し、左手は手のひらを下向きにして腰のわきまで下ろします。

6 重心を右足に移す

重心を徐々に右足に移しながら、左足を伸ばし、つま先を上げます。

UP
DOWN

上達

楊慧先生のアドバイス

相手のひざ前を片手で払いながら、もう一方の手で胸を押すという、武術としての太極拳が基本の動きです。目の前に相手がいるような気持ちで動いてみましょう。

吸う
左手を上げる
目線は左手の指先に
つま先を少し外側に開く
左手を前に押し出す
吐く
かかとが浮かないように
かかとから踏み出す

続き

4式 P53 の続き

7

上体を左へ、左手を上へ

ゆっくり息を吸いながら、上体を左に回します。同時に左手を徐々に上げていき、左足のつま先を少し外側に開きます。

8

右足を引き寄せる

左足のつま先を下ろして重心を左足に移し、右足を左足に寄せます。左ひじを軽く曲げて手のひらを内側に向け、右手は左胸の前に。

9

右足を踏み出し、左手を押し出す

左手は左耳の横に寄せ、右手は左胸の前から弧を描くようにして下ろします。ゆっくり息を吐きながら、右足を踏み出し、徐々に重心を右に移していきます。同時に、左手を押し出します。

足の運び

POINT

踏み出す時は、かかとから着き、つま先を下ろして重心を移動します。向きを変える時は、つま先を上げて、動く方向につま先を開いてから下ろします。

10

重心を左足に移す

重心を左足に移し、右足のつま先を少し外側に開きます。

右手は
肩の高さに上げる

11

右手を上げる

右足のつま先を下ろして重心を右足に移し、左足を右足に寄せます。右手は体の前で弧を描くようにして肩の高さに上げ、左手を胸に引き寄せます。

4～5をもう一度繰り返します

5式 P56へ続く

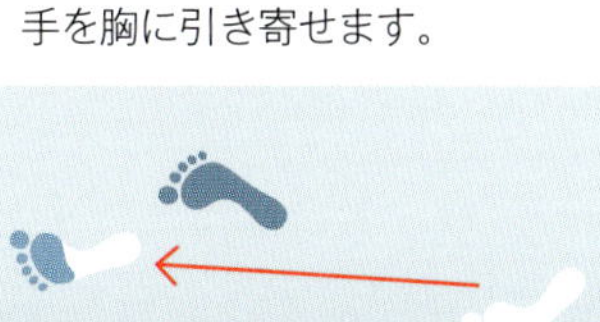

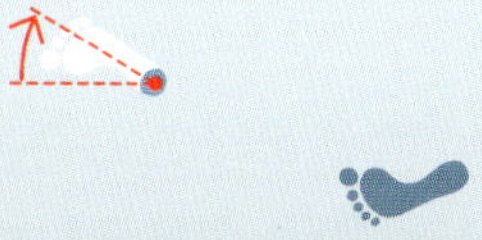

DVD 3-5

手《ショウ》揮《フイ》琵《ピー》琶《パ》 5式

両手で琵琶を抱えるような動き

◉上体を回しながら、両手を動かし、最後に琵琶を抱える動作です。武道では対戦相手のひじをとる動きとされます。

時間の目安 約20秒

開始

4式最後のポーズ P55 の続き

目線は右手指先に
吸う
左手は右ひじの下に差し込む
かかとを着く
つま先を着く
かかとをしっかり着ける
半歩引き寄せる

1 右足を寄せる

右足のかかとを上げ、左足に半歩引き寄せます。

2 重心を右足に移す

ゆっくり息を吸いながら、右足に重心を移し、左足を少し前に出してつま先を着けます。

3 左手を右ひじの外側に

左足をいったん上げ、今度はかかとを着けます。上体を右に回しながら、左手を右ひじの下に差し込むように上げます。

足の運び

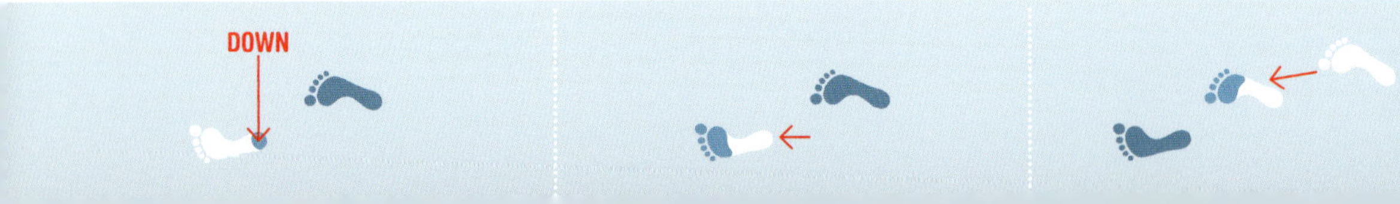

DOWN

ココに効く！

全身疲労 | 不安感 | 胃炎 | 頭痛

正面

目線は正面に
琵琶を抱えるイメージ
背筋をまっすぐ伸ばす

吐く
ひじは軽く曲げる

POINT
左手は着物の右袖を払うイメージで、右ひじの下から指先へと動かします。

POINT
腰を落とした時に上体が前に傾いたり、おしりが突き出ないように注意。また、両ひじは軽く曲げ、重心をかけている右足のひざもゆるめた状態にしておくこと。

上達 楊慧先生のアドバイス

3〜5で左手を上げて前に伸ばしていく時は、気の流れを意識すること。足を引き寄せる、かかとから踏み出す、着地するなどの動きもていねいに行いましょう。

5

琵琶を抱えるように

ひざを軽く曲げて腰を落としながら、右手をウエストくらいまで下ろします。両手のひらを内側に向け、琵琶を抱えるような形にします。

4

右ひじ下を払う

ゆっくり息を吐きながら、上体をゆっくり左に回し、右手のひじ下を払うようにして左手を上げます。

6式 P59へ続く

倒《ダオ》捲《ジュエン》肱《ゴン》 6式

腕を左右に開きながら後退する動き

◉伸びやかに大きく腕を動かしながら、後退する動きです。時には、後退することで衝突を避けるという意味があります。

吐く
右手はゆるやかに立てて押し出す
つま先、かかとの順に着く

POINT
右手のひじは伸ばしきらないこと。また、左手は手のひらを上向きにしたまま引きます。

かかとはしっかり着く

6式 P61 へ続く

4
左足は後ろ、左手は下へ

ゆっくり息を吐きながら、左足のつま先を後ろに着き、かかとを下ろして重心を左足に移動します。同時に、上体を左へ回しながら左手を下ろし、右手を前へ出していきます。

5
右手を押し出す

右手をさらに押し出し、左手はひじを引いてウエストあたりまで引き寄せます。

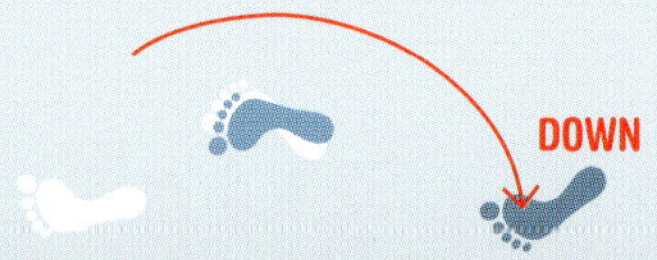
DOWN

ココに効く！

息切れ | 動悸 | ストレス | 肩、腕の痛み

上達 楊慧先生のアドバイス

片足を持ち上げた状態から**4**で後ろにつま先を着く動きの時は、体がぐらつかないように、しっかり腰に重心をおきましょう。静かにゆっくり行うことが大切です。

時間の目安
約1分10秒

開始

5式最後のポーズ P57 の続き

右手は右耳の横に

両手を下げる
肩の高さまで上げたら左右に開く
吸う
ももから上げる
かかとは着けたまま

1 両手をゆっくり下ろす

上体を右に回しながら、両手のひらを下に向けて下ろします。

2 両手を大きく開く

ゆっくり息を吸いながら、両手のひらを返しつつ、肩の高さまで上げ、大きく弧を描くように左右に開きます。目線は右手の指先を見ます。

3 左足を上げる

上体を左へ回しながら、左ひざを上げます。同時に、右手はひじを曲げ、右耳の横に引き寄せます。

足の運び

UP

吐く
左手はゆるやかに立てて押し出す
右足を左足の後ろに下ろす
つま先、かかとの順に着く

8

右足は後ろ、右手は下へ

ゆっくり息を吐きながら、右足のつま先を後ろに着き、かかとを下ろして重心を右足に移動します。同時に、上体を右へ回しながら、左手を前へ出していきます。

POINT
左手のひじは伸ばしきらないこと。また、右手は手のひらを上向きにしたまま引きます。

かかとはしっかり着く

9

左手を押し出す

左手を押し出しながら、重心をさらに右足に移していきます。右手はひじを引いてウエストあたりまで引き寄せます。

1～9をもう一度繰り返します

7式 P62へ続く

DOWN

手のひらを
返しながら広げる
目線は左手の指先に
吸う

ももから上げる

POINT
腰を軸に、上体だけ回します。左ひざは軽く曲げたまま、腰の高さを一定に保つこと。

続き

6式 P58の続き

6
両手を下ろし、上げる

ゆっくり息を吸いながら、両手のひらを下に向け、おなかのあたりまで下ろします。手のひらを返しながら、大きく弧を描くように肩の高さまで上げ、広げます。

7
右足を上げる

上体を右に回しながら、左手のひらを下に向けて左耳の横に寄せ、右ひざを上げます。

足の運び

UP

DVD
3-7

左攬雀尾《ズオ ラン チュエ ウェイ》

7式

孔雀《くじゃく》の尾を模した動き(左)

◉両手を交差して孔雀の尾に見立てた形と、体をひねる動作を組み合わせたものです。8式と対になります。

時間の目安
約40秒

右手
左手
吐く
右手のひらは下向き
左手のひらは上向き
上体を左へ回す
つま先を立てて引き寄せる
かかとから踏み出す
吸う
下ろす
上げる
開始

6式最後のポーズ P60 の続き

1 右手は上、左手は下へ

ゆっくり息を吸いながら、上体を右に回します。同時に、右手を上げ、左手を下げていきます。

2 左足を引き寄せる

左足のつま先を立てて、右足の横へ引き寄せます。両手はそのまま体の前でボールを抱えるようにします。

3 ボールを抱え、左足を踏み出す

ゆっくり息を吐きながら、上体を左へ回し、左足をかかとから斜め前へ踏み出します。両手は、体の前でボールを抱えたままにします。

足の運び

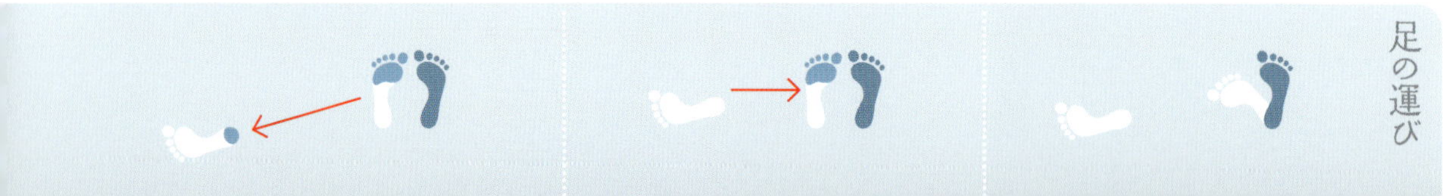

ココに効く!

のどの痛み、腫れ | 動悸 | 不眠 | 肩、腕の痛み

上達 楊慧先生のアドバイス

4で手のひらを内側に向けて前に押し出す時は陽池、外側に向けて押し出す時は少府を意識して気を集中させましょう。

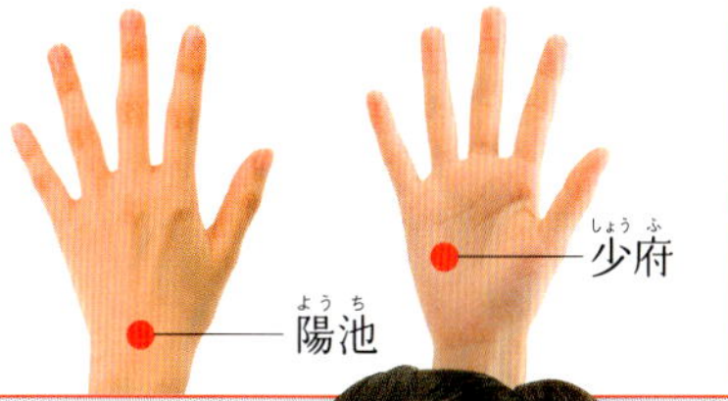
陽池《ようち》
少府《しょうふ》

目線は左手の指先へ
右手のひらは下向きに
かかとが上がらないように
水平に円を描くように押し回す
吸う
吐く
胸の前まで引く
重心は右足に

POINT
右ひじは軽く曲げてゆるめておき、左ひじも伸ばしきらないようにします。

4

左手を前に伸ばす

左ひざを曲げながら左足に重心を移します。左手は手のひらを内側に向けて肩の高さで前へ伸ばし、右手は手のひらを下に向けて腰のわきに下ろします。

5

重心を右足に移す

ゆっくり息を吸いながら、徐々に重心を右足に移します。両手のひらを下向きにして、息を吐きながら、胸の前で水平に円を描くように回します。

7式 P64へ続く

DOWN

正面
右手のひらを左の手首に直角に重ねる
左手
右手
右手のひらは上向き
左手のひらは下向き
吐く
押し出す
吸う
続き
目線は両手に
重心は右足に
7式
P63
の続き

6

両手でボールを抱える

重心を左足に移し、左手は胸の高さに、右手は手のひらを返しておなかの前に引き寄せ、ボールを抱えるようにします。

7

右手を肩の高さに上げる

上体を右に回し、右足に重心を移します。同時に、右手を開きながら肩の高さまで上げ、左手は胸の高さに引き寄せます。

8

両手を交差し、押し出す

上体を左に回しながら、左足のつま先を上げます。左手のひらを内側に向けて右手のひらを重ね、左つま先を下ろして重心を移動しながら押し出します。

足の運び

UP
DOWN

POINT
手を押し出す時は、息を吐きながらゆっくり動きます。上体が前に倒れないように気をつけて。

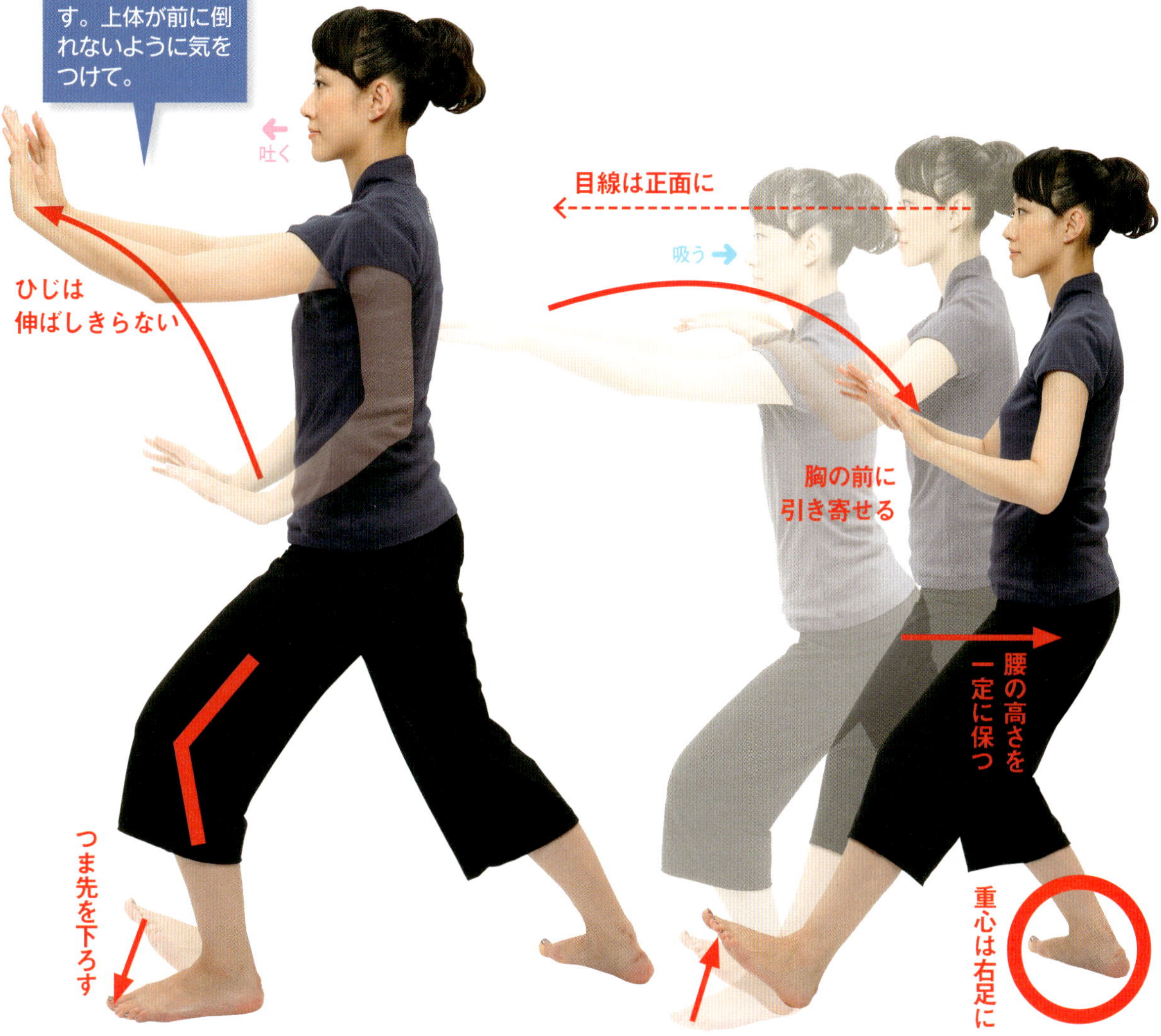
吐く
ひじは伸ばしきらない
つま先を下ろす
目線は正面に
吸う
胸の前に引き寄せる
腰の高さを一定に保つ
重心は右足に

9
両手を引き寄せる
ゆっくり息を吸いながら、左足のつま先を上げ、右足に徐々に重心を移します。同時に、両手のひらを下に向けて胸の前に引き寄せ、腰のあたりまで下げます。

UP

10
両手を押し出す
ゆっくり息を吐きながら、左足のつま先を下ろし、重心を左足に移します。同時に、両手を胸の高さまで押し出します。

DOWN

8式 P67へ続く

孔雀の尾を模した動き（右）

◉7式と同じ動きを、左右逆にして行います。上体を右に回して重心を右に移し、左右の手を入れ替えて始めます。

右《ヨウ》攬《ラン》雀《チュエ》尾《ウェイ》

8式

DVD 3-8

吐く
左手のひらは下向きで腰のわきに
かかとから踏み出す
吸う
吐く
水平に円を描くように押し回す
吸う

8式 P69へ続く

3
右足を斜め前に踏み出す
ゆっくり息を吐きながら、上体を右に回し、右足をかかとから斜め前に踏み出します。右ひざを曲げて右足に重心を移し、左右の手を上下に開きます。

4
両手を水平に回す
ゆっくり息を吸いながら、右手を返して両手を胸の前に引き寄せ、左足に重心を移します。息を吐きながら、円を描くように回し、徐々に重心を右足に移します。

5
ボールを抱える
ゆっくり息を吸いながら、左手を下ろしてボールを抱える形にします。**2**と反対の手の形になります。

足の運び

ココに効く！

のどの痛み、腫れ | 動悸 | 不眠 | 肩、腕の痛み

上達 楊慧先生のアドバイス

足を引き寄せる時は、足を上げずに低い位置で静かに動かします。また、腰を低くして、重心を移動しながら手を動かしますが、手の動きと重心の移動がばらばらにならず、なめらかに動けるように練習をしましょう。

時間の目安 約45秒

開始

7式最後のポーズ P65 の続き

右手のひらは上向き
左手のひらは下向き

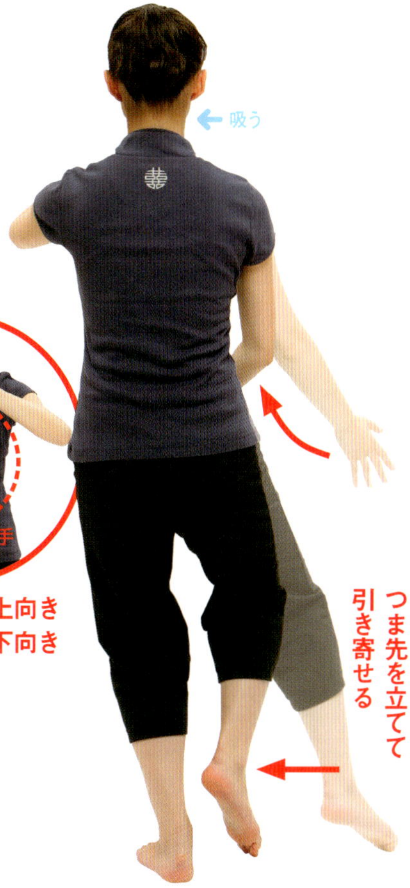

1
上体を正面に向ける

重心を右足に移しながら上体を右に回します。同時に、左足のつま先を内側に向け、正面にします。

2
両手でボールを抱える

ゆっくり息を吸いながら、左足に重心を移し、右足を左足に寄せます。同時に、両手は弧を描くように回し、右手は下ろし、左手は上げます。

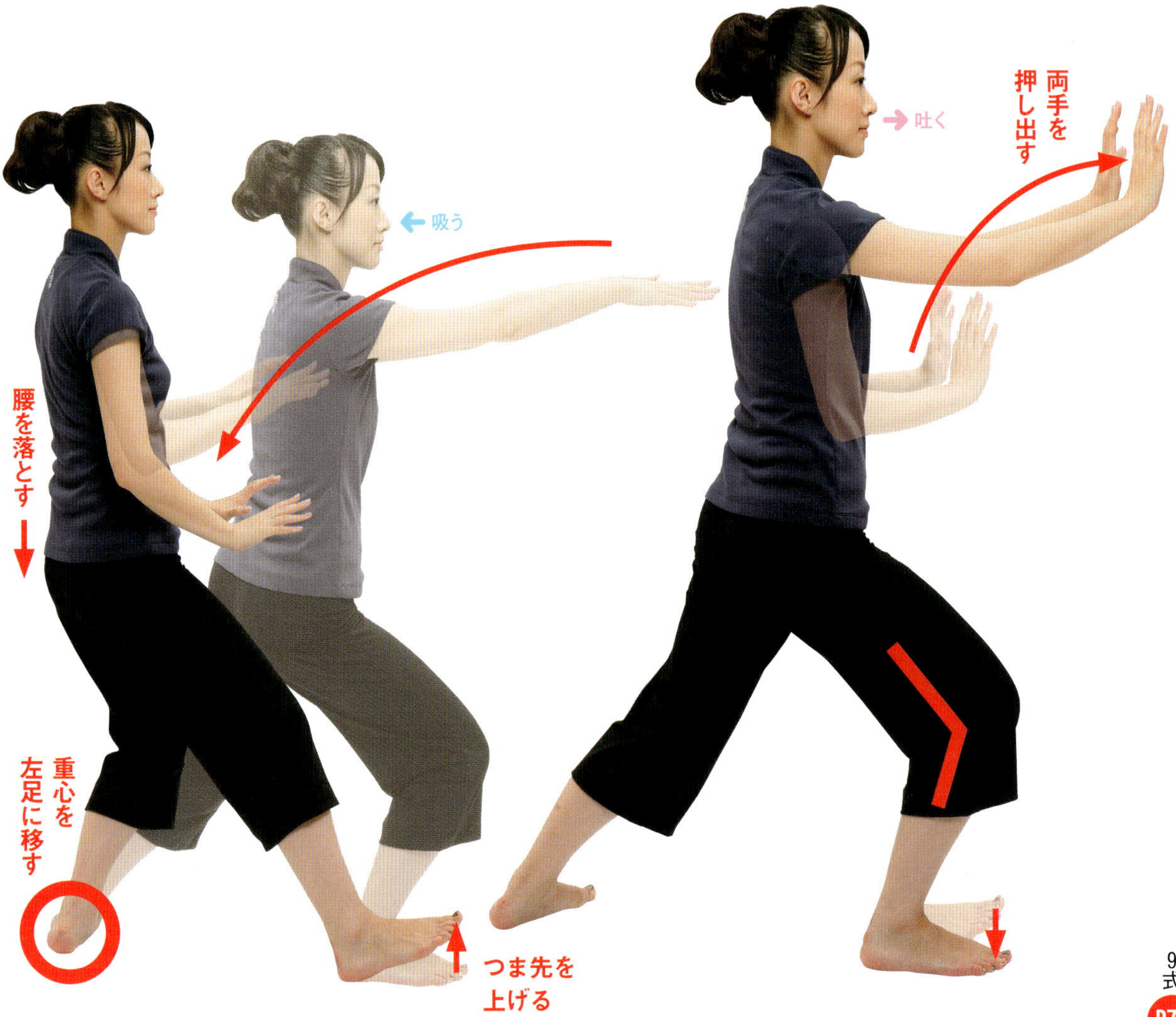

9
両手をほどいて引く

ゆっくり息を吸いながら、両手をほどいて手のひらを下に向けます。右足のつま先を上げ、左足に重心を移しながら両手を腰のあたりまで下げます。

10
両手を押し出す

ゆっくり息を吐きながら、右足のつま先を下ろしてひざを曲げ、重心を右足に移しながら、両手を押し出します。

9式 P70へ続く

続き

8式 P66 の続き

目線は正面に
吐く
右の手首に左の手のひらを直角に当てる
押し出す
ひざを曲げる
つま先を上げる
重心を左足に移す

6 左手を肩の高さに上げる

上体を左に回し、左足に重心を移します。同時に、左手を開きながら肩の高さまで上げ、右手は胸の高さに引き寄せます。

7 両手を交差する

ゆっくり息を吐きながら、右足のつま先を上げて重心を左足に移していき、左手を胸の高さまで上げます。両手を胸に引き寄せ、左右の手を重ねて交差させます。

8 両手を押し出す

上体をゆっくり右に回しながら、両手を押し出します。同時に、右ひざを曲げて、重心を右足に移します。このとき、後ろ足のかかとが上がらないようにします。

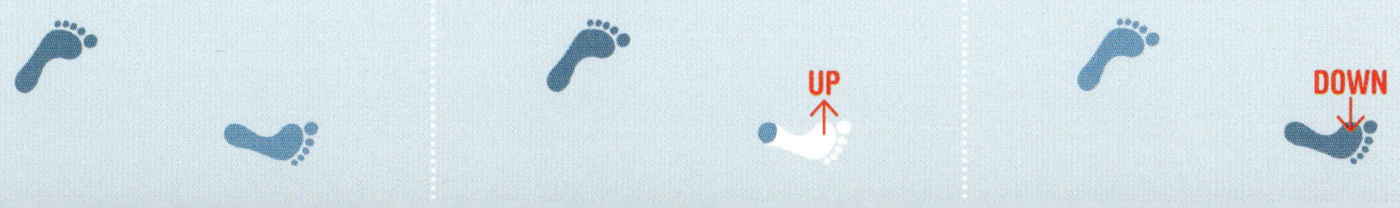
UP
DOWN

ひとえむちの動き

◉腕全体をむちのようにしならせて、やわらかく動かします。右手を鶴の首をかたどった「鉤手《ゴウショウ》」にします。

DVD 3-9

単鞭《ダンビエン》 9式

時間の目安 約20秒

右手を
鉤手にする
左手は
胸の前へ
吸う
開始
体を左に回す
つま先を
内側に向けて下ろす
重心を
左足に移す
8式最後のポーズ P68 の続き

3 右手を上げて鉤手に

右手を肩の高さまでゆっくり上げて鉤手にします。左手は手のひらを内側に向けて右胸の前に寄せます。同時に、左足のかかとを上げ、つま先を右足の横に引き寄せます。

2 右つま先を下ろす

右手をゆっくりと下ろしながら、右足のつま先を内側に向けて下ろし、重心を右足に移していきます。

1 重心を左足に移す

両手は押し出した状態で、ゆっくり息を吸いながら、左足に重心を移して体を左に回し、右足のつま先を上げます。

足の運び

UP

ココに効く！ 頭痛 腰痛 下痢・便秘 生理痛

上達 楊慧先生のアドバイス

武術としては、背後の敵を右手でかわし、前の敵を左手で攻めるという場面を想定しています。鉤手にした右の肩に力が入らないようにし、左手はひじを伸ばしきらずにゆるめておくことが大切です。

目線は左手の指先へ
吐く
上体を前に出す
つま先を下ろす
上体を左に回す
かかとから着く

POINT
左手のひらを内側に向けたままゆっくり伸ばし、顔の高さで返して押し出します。

正面

10式 P72へ続く

5 左手を押し出す

ゆっくり息を吐きながら、左足のつま先を下ろし、重心を左足に移していきます。左手のひらを顔の高さで返して押し出し、右手は肩の高さで伸ばします。

4 左足、左手を前に

上体をゆっくり左に回しながら、左手をしなやかに前に伸ばしていきます。左足はかかとから左斜め前に踏み出します。

DOWN

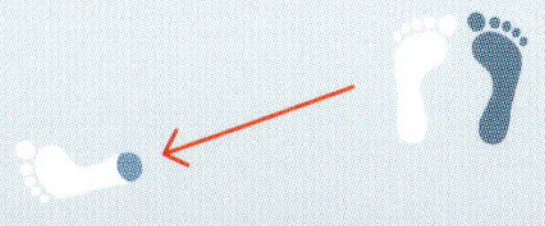

雲のように手を動かす動き

◉大空を流れる雲のように、手足をふわりと動かします。上半身と手足の動きがなめらかにつながるようにしましょう。

雲手《ユンショウ》 10式

DVD 3-10

時間の目安 約35秒

正面
目線は右手の指先に
鉤手をほどく
つま先を内側に向ける
吸う
左手を下ろす
上体を右に回す
開始
9式最後のポーズ P71 の続き

1 左手を下ろす

ゆっくり息を吸いながら、上体を右に回し、左手を下ろします。

2 鉤手《ゴウショウ》をほどいて下ろす

左足のつま先を軸に内側に向けながら、上体をさらに右に回し、重心を移します。左手はそのまま弧を描くように動かし、右手は鉤手をほどきます。

足の運び

ココに効く！

発熱 | 耳鳴り | 目の充血、疲れ | 肩、腕の痛み

上達 楊慧先生のアドバイス

左右同じ動作の繰り返しですが、上になったほうの手に意識を集中すると気が流れやすくなります。ゆったりとした手足や上半身の動きと呼吸を連動させ、なめらかな動きになるように練習しましょう。

目線は左手の指先に
ゆっくり下ろす
重心を左足に移す

3

左足に重心を移す

重心を左足に移しながら、上体を左に回します。左手は手のひらを内側に向けて顔の前に、右手は徐々に下ろしていきます。

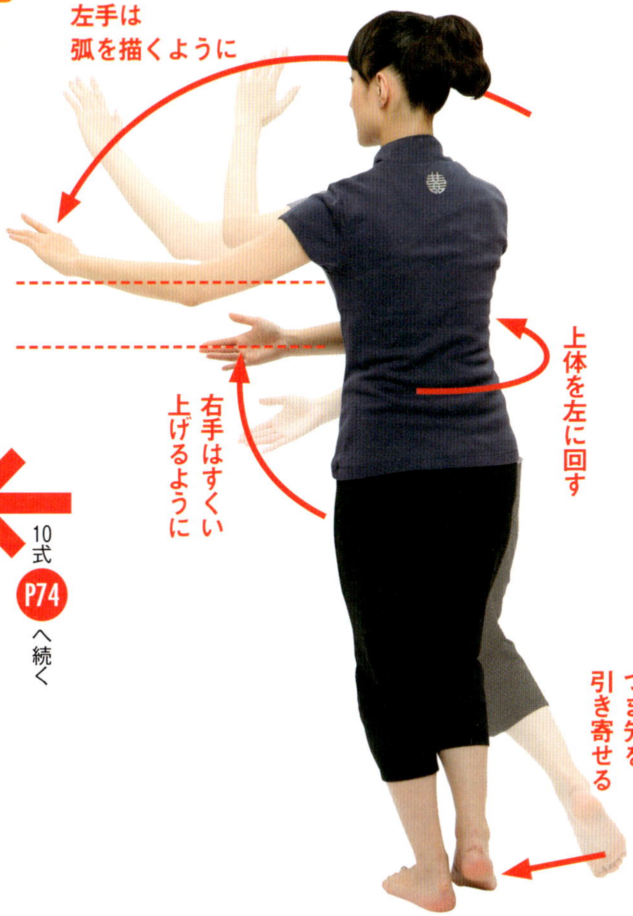
左手は弧を描くように
上体を左に回す
右手はすくい上げるように
つま先を引き寄せる

4

右足を左足に引き寄せる

右足のかかとを上げ、左足に引き寄せます。左手は顔の前を通って左回りに下ろし、右手は腰の前を通って右回りに上げます。ゆっくり下ろした左手と、すくい上げるように上げた右手が、左側で並行になります。

10式 P74へ続く

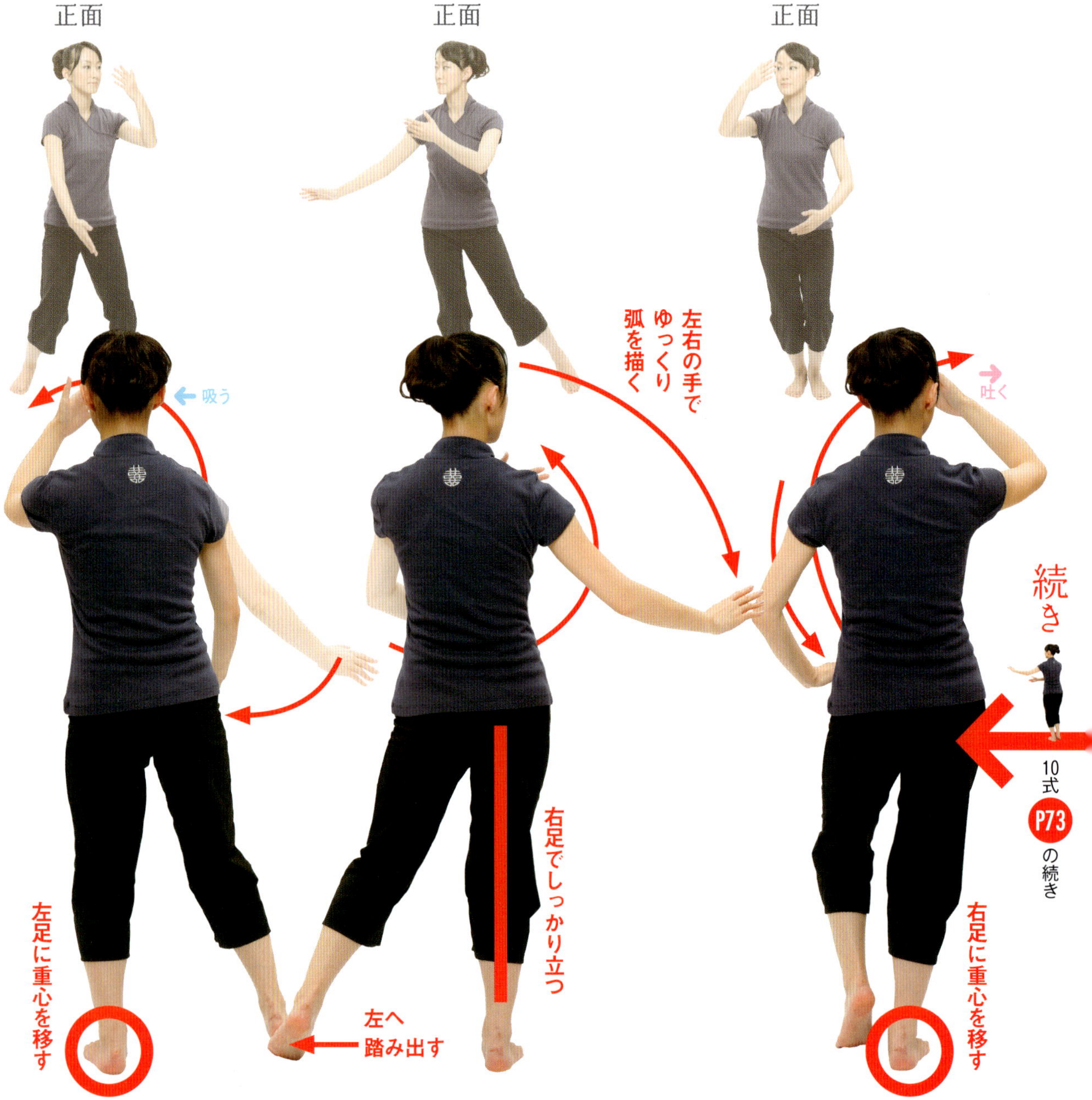
正面
正面
正面
吐く
右足に重心を移す
左右の手でゆっくり弧を描く
右足でしっかり立つ
左へ踏み出す
吸う
左足に重心を移す
続き
10式
P73
の続き

5

左右の手を大きく回し始める

息を吐きながら、左足のかかとを上げ、重心を右足に移します。上体を右に回しながら、右手は上から右回り、左手は下から左回りに弧を描き始めます。

6

右足で立ち、左へ踏み出す

上体を右に回しながら、左右の手でゆっくりと弧を描き続けます。左足は、そのままつま先から左横へ踏み出します。

7

重心を左足に移動する

ゆっくり息を吸いながら、上体を左に回します。左足に重心を移し、右足のかかとを上げます。両手はゆっくり回し続けている状態です。

足の運び

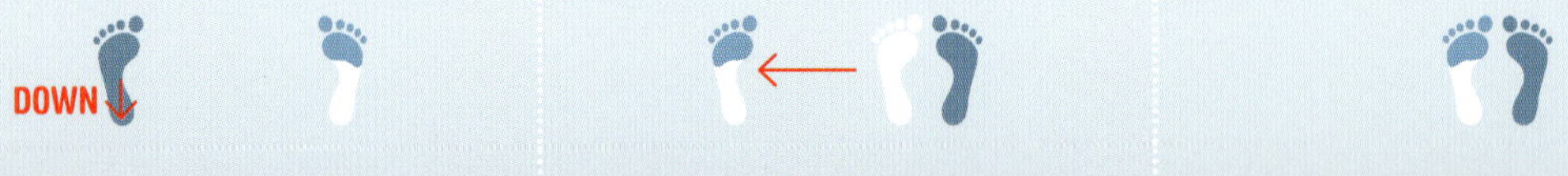
DOWN

正面
左手は弧を描くように
右手はすくい上げるように
引き寄せる

8

右足を左足に引き寄せる

右足のつま先を左足の横に引き寄せます。両手は再び左側に並行にそろっている状態です。**5**～**8**をもう一度繰り返します。

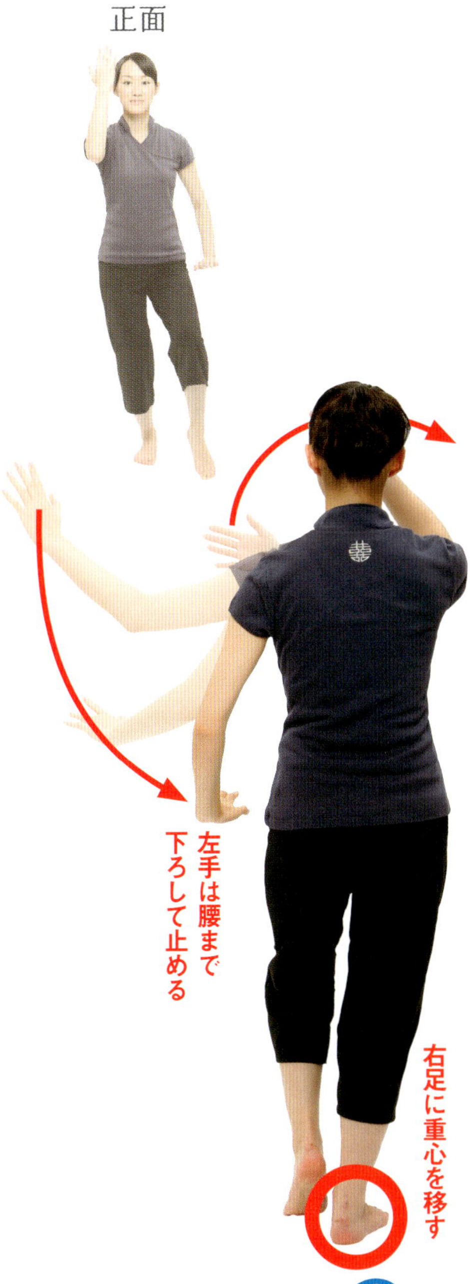
正面
左手は腰まで下ろして止める
右足に重心を移す

9

右足に重心を移す

上体を正面に戻しながら、右足のかかとを下ろして重心を移し、左足のかかとを上げます。右手は顔の前を過ぎたところで止め、左手は腰まで下ろして止めます。

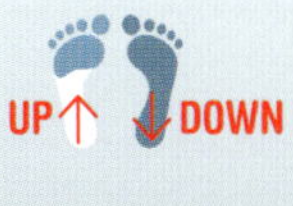
UP↑ ↓DOWN

11式
P76へ続く

DVD 3-11

単鞭《ダンビエン》 11式

ひとえむちの動き

◉9式で行った「単鞭」をもう一度繰り返します。むちのしなやかさや強さをイメージしながら、手を動かします。

時間の目安 約20秒

右手を鉤手にする
吸う
左手を胸の高さまで上げる
右手を肩の高さまで上げる
目線は右手に
吐く
重心は右足に

開始

10式最後のポーズ P75 の続き

1 右手を下ろす

右足に重心を移したまま、ゆっくり息を吐きながら上体を左に回します。同時に、右手を左上から右下へ下ろします。

2 右手を肩の高さに上げる

上体を少し右に回し、右手を肩の高さまで上げ、徐々に鉤手《ゴウショウ》にしていきます。

3 右手を鉤手に

ゆっくり息を吸いながら、右手は鉤手にします。同時に、左手は手のひらを内側に向けて右胸の前に寄せます。

足の運び

ココに効く！ 頭痛 腰痛 下痢・便秘 生理痛

上達 楊慧先生のアドバイス

腰や肩に力が入り過ぎないように、しなやかに動きましょう。ひじやひざも伸ばしきらずに自然にゆるめ、柔らかく動かすことが大切。鉤手にした右手は、弧を描くようにしてゆるやかに上げましょう。

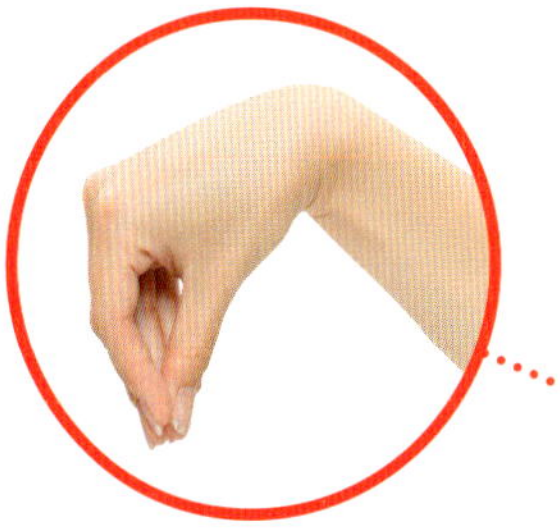
指先をそろえてつまみ上げるように

目線は右手に
吐く
重心を左足に移す
つま先を軸にかかとを動かす
かかとから踏み出す
上体を左に回す

POINT
左手のひらを内側に向けてひじを伸ばし、顔の前で返して外側に向け、肩の高さのまま伸ばします。

5
左手を押し出す
ゆっくり息を吐きながら、左ひざを曲げ、重心を左足に移します。左手は顔の前で返して押し出し、右手は肩の高さに伸ばします。

4
左足、左手を前に
上体をゆっくり左に回しながら、左手を前に伸ばします。左足はかかとから左斜め前に踏み出します。つま先を下ろし、重心を左足に移していきます。

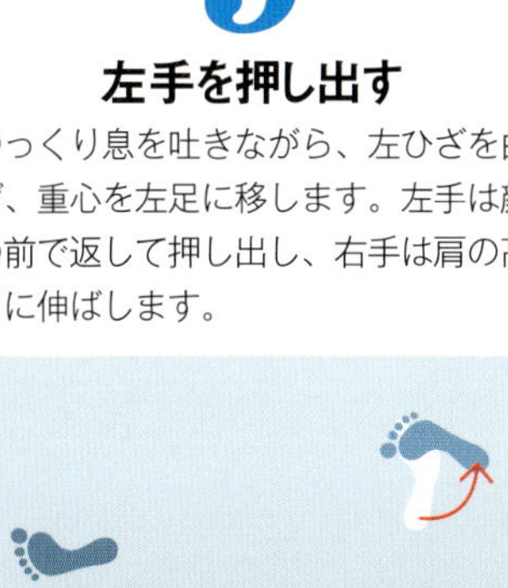

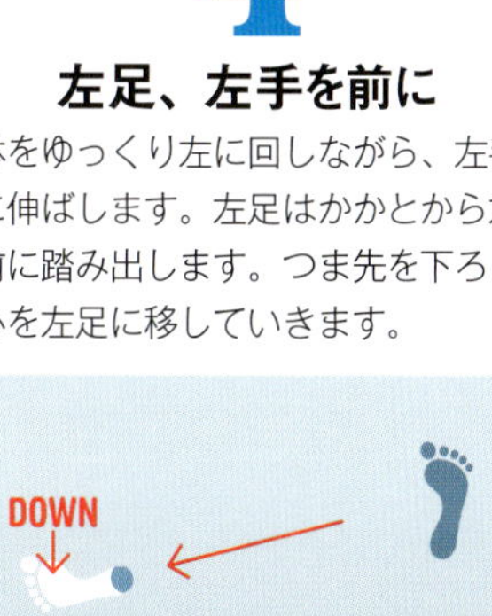
DOWN

12式 P78へ続く

高いところから様子を探る動き

◉「探馬」とは偵察兵のこと。偵察兵が高いところに登って敵の陣地を見下ろし、探っている様子を表す動きです。

DVD 3-12

高《ガオ》探《タン》馬《マー》

12式

時間の目安 約30秒

前に出す
吐く
吐く
吸う
開始
11式最後のポーズ
P77 の続き
半歩引き寄せ
右足に重心を移す

3 右手を前に出す

上体を左に回しながら、右手のひらを下に向け、右耳の後ろに引きます。ゆっくり息を吐きながら右手を前に出し、左手をウエストあたりに引き寄せます。

2 両手を左右に広げる

上体を右に回しながら、胸の前で両手を返し、手のひらを上にして左右に広げます。

1 両手を肩の高さに上げる

右手の鉤手《ゴウショウ》をほどき、右足を半歩引き寄せ、両手を下ろします。重心を右足に移しながら左足のかかとを上げ、両手を肩の高さまで上げます。

UP
足の運び

ココに効く！

息切れ | 頭痛 | 歯痛 | 首、背中の痛み | むくみ

上達 楊慧先生のアドバイス

両手を動かす時は肩の力を抜き、できるだけ柔らかく動かすようにしましょう。また、**5**で片足立ちになった時は、重心をかけている足のひざは伸ばしきらないようにします。

正面

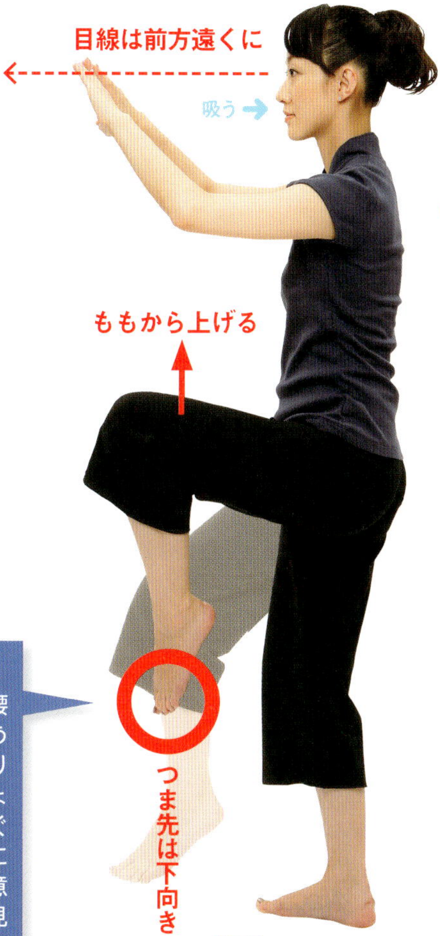
目線は前方遠くに
吸う
ももから上げる
つま先は下向き

POINT
左足を上げる時は腰がふらつかないように、右足にしっかり重心をかけましょう。背筋をまっすぐ伸ばし、上体が前に倒れないように注意を。目線は遠くを見るイメージで。

5

両手、左足を上に

ゆっくり息を吸いながら、左ひざを上げます。左手のひらを下向きにして手の交差をほどき、両手の間から遠くを見ます。

右手首の上に、左手首をのせるようにして交差

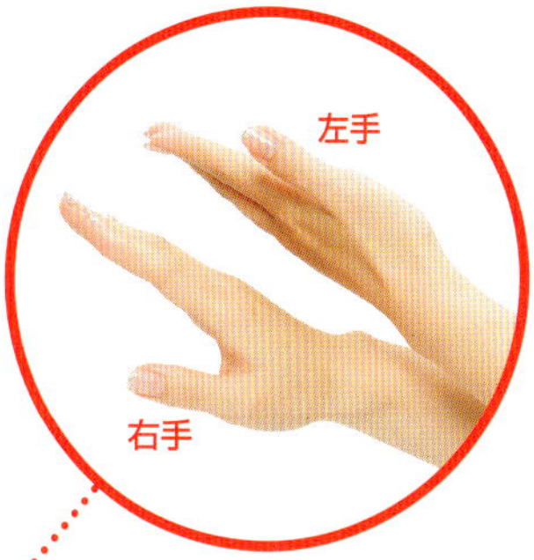
左手
右手

4

左手を右手に交差させる

左手のひらを上に向けたまま、ゆっくり前に突き出し、右手首の上に交差させます。

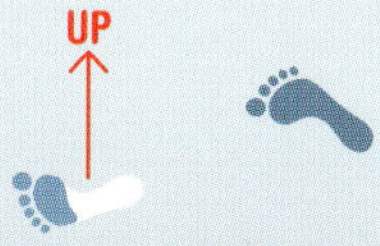
UP

13式 P80へ続く

バランスをとって右足をけり出す動き

◉片足で立ち、両手でバランスをとりながら、片足をけり出す動きです。重心をかけた軸足をしっかりと床に着けます。

右蹬脚《ヨウドンジャオ》

13式

DVD 3-13

時間の目安 約15秒

開始

12式最後のポーズ P79 の続き

1

左足を下ろす

息を吐きながら、左足を斜め前に下ろします。

2

両手を広げて下ろす

重心を左足に移します。両手は大きく弧を描くように左右に広げ、腰の辺りまで下ろします。

足の運び

ココに効く！ ストレス 肩、背中の痛み

上達 楊慧先生のアドバイス

右足をけり出すときは、かかとに気を込めましょう。上げる足の高さは、そのときの体調に合わせて無理をしないように。

吐く
右手は
なるべく水平に
かかとから
けり出す
足裏をしっかりと
床に着ける

POINT
けり出す時は、ゆっくりとかかとから前に出します。軸足の裏をしっかりと床に着け、ひざを軽くゆるめ、腰がぐらつかないように安定させましょう。

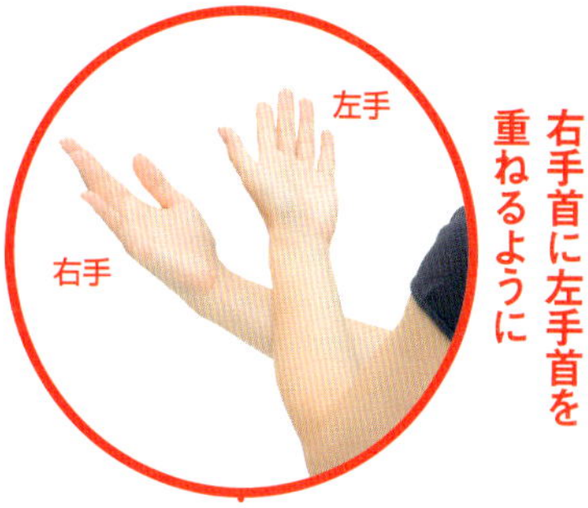
左手
右手
右手首に左手首を
重ねるように

吸う

4 右足をけり出す

ゆっくり息を吐きながら、両手を左右に広げ、右足のかかとから前へけり出します。右手はなるべく水平にし、左手は自然に開きます。

3 両手を交差する

重心をさらに左足に移します。息を吸いながら、右足を左足に引き寄せ、ひざを上げて片足立ちになります。両手は右手を外側にして交差させながら上げていきます。

KICK UP

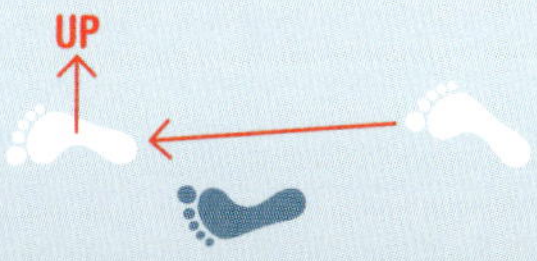
UP

14式 P82へ続く

DVD 3-14

双《シュアン》峰《フォン》貫《グァン》耳《アル》 14式

相手の両耳をはさむ動き

◉「双峰」はふたつの山の峰の意味で、ここでは両こぶしをさします。急所の一つとされる耳を両手で突く動きです。

時間の目安 約10秒

開始

13式最後のポーズ P81 の続き

1 右足と両手を引き寄せる

けり上げた右足を折り、両手を体の前に引き寄せます。

2 右足を下ろし、踏み出す

息を吐きながら、右足をかかとから下ろし、両手のひらを上向きにして腰のあたりまで下ろします。

足の運び

ココに効く！

息切れ｜歯痛｜不安感｜腹部の膨満感

POINT
両こぶしで相手の両耳をはさむようにして突き出します。

上達 楊慧先生のアドバイス

相手の動きを払いのけ、耳を両こぶしで突く、攻め技が原型です。両こぶしの間はちょうど顔が入る程度に空け、ひじはやや丸みをもたせるようにしましょう。

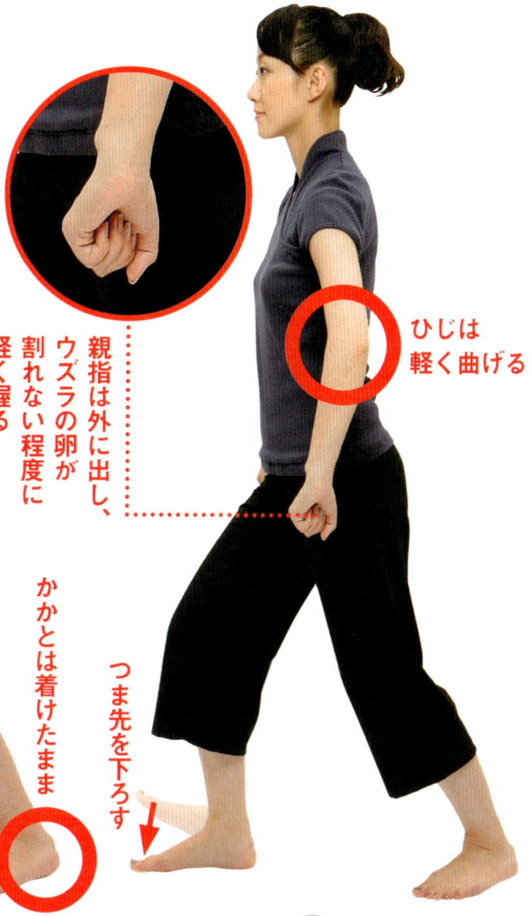
親指は外に出し、ウズラの卵が割れない程度に軽く握る
ひじは軽く曲げる
つま先を下ろす

3

両手でこぶしをにぎる

右足のつま先を下ろして、重心を右足に移します。両手を腰の横に下ろして手のひらを外側へ返し、軽くこぶしを握ります。

DOWN

目線は正面
こぶしは耳の高さに
重心は右足に
かかとは着けたまま

4

両こぶしを前に出す

握ったこぶしは左右とも弧を描くように顔の前まで上げます。このとき、手の甲を内側に向け、両こぶしがハの字の形になるように突き出します。

正面

15式 P85へ続く

DVD 3-15

転《ジュアン》身《シェン》左《ズオ》蹬《ドン》脚《ジャオ》

15式

転身して左足をけり出す動き

◉左へ体を回して、両手でバランスをとりながら、左足をけり出します。13式の足の動きを左右逆にした動きです。

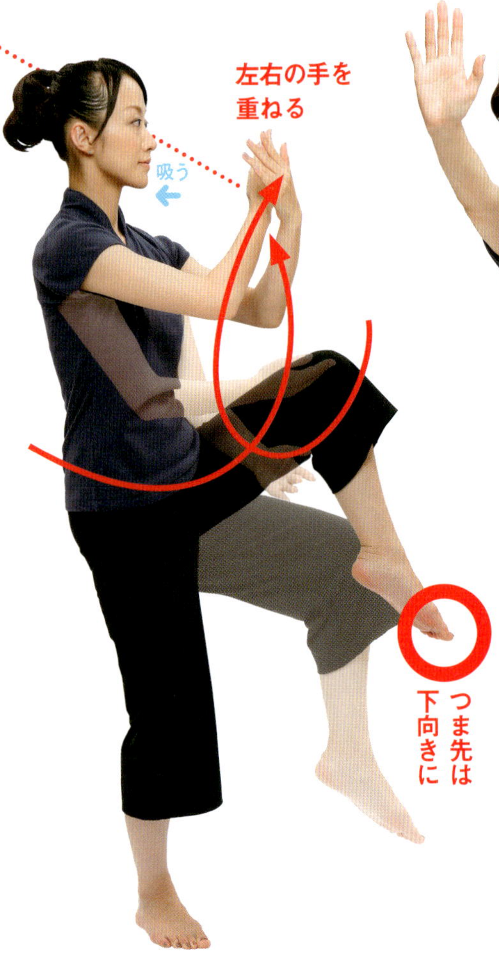

左右の手を重ねる
吸う
つま先は下向きに

目線は左手に
吐く
左手はなるべく水平に
腰を安定させる
かかとからけり出す
ひざは伸ばしきらない

POINT
けり出す時は反動をつけず、できるだけゆっくり伸ばします。

4
両手を交差させる

ゆっくり息を吸いながら、両手のひらを内側に向け、胸の前で右手を外側にして交差します。同時に、左足を引き寄せ、ひざを上げます。

5
手を開き、左足をけり出す

ゆっくり息を吐きながら、両手を開き、左足をかかとからけり出して伸ばします。開いた左手は水平に、右手はやや斜め後ろに引きます。

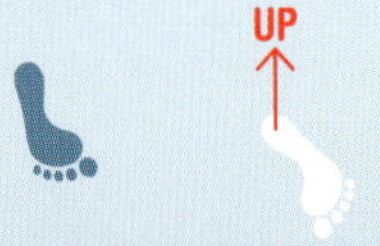

UP

KICK UP

16式 P87へ続く

ココに効く! 不眠症 食欲不振 むくみ

上達 楊慧先生のアドバイス

けり出した足を無理に高く上げることよりも、バランスをキープすることが大切です。上体をまっすぐに保ち、腰や足がぐらつかないようにしましょう。腰をしっかり安定させると、足が楽に上がるようになっていきます。

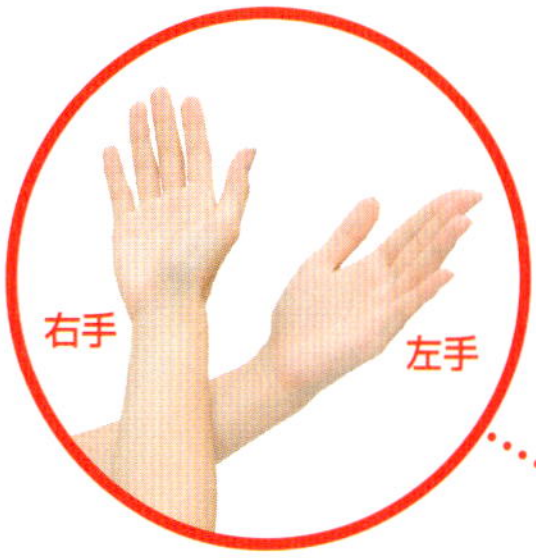
右手
左手

左手が外側
右手が内側

時間の目安 約20秒

開始

14式最後のポーズ P83の続き

目線は両手の中間
上体を左に回す
腰の高さが変わらないように
重心は右足に
重心は左足に
軸足のひざを軽く曲げる

1 左足のかかとを上げる

右足に重心をかけ、左足のかかとを上げます。左つま先を軸に上体を左に大きく回し、同時に左足のかかとも下ろしていきます。

2 左足に重心を移す

右足のつま先を上げ、1と同様にしながら重心を左足に移し、上体をさらに左に回していきます。

3 こぶしを開いて下ろす

両手のこぶしを開いて、弧を描くように下ろします。同時に、左足のかかとを上げ、右ひざを曲げながら、徐々に右足に重心を移します。

足の運び

DOWN
DOWN
UP

低い姿勢からの片足立ち(左)

◉腰を落とした低い姿勢(下勢)は、地を這うへび、片足立ち(独立)は、優雅な鶴をイメージして行います。

左《ズオ》下《シャア》勢《シー》独《ドゥ》立《リー》

16式

DVD 3-16

✕これはNG!
上体を左に回して起こした時は、上体が前に倒れておしりが出ないように注意。

吐く

腰を低く落とす
POINT
前に伸ばした手のひじはゆるめておきます。
右手を鉤手に
つま先は内向きに
目線は右手に
吸う
ももから上げる
左手は下向き
つま先は下向きに

17式 P89へ続く

4
上体を起こし、両手を開く

そのまま上体を起こして左足のつま先を開き、徐々に左足に重心を移動します。左手は前に出して左足と平行に、右手は鉤手をほどいて後ろに開きます。

5
右手を鉤手にする

左足のつま先をさらに少し開いて重心を移し、左手は肩の高さに上げ、右手は鉤手にして後ろに出します。

6
片足立ちになる

右足を左足に引き寄せ、ゆっくり息を吸いながら右ひざを上げます。同時に、右手は鉤手をほどいて前へ、左手は手のひらを下に向けて腰の横に。

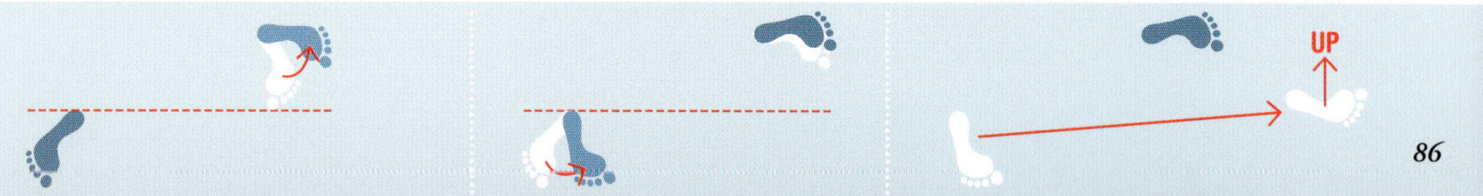

UP

16式

時間の目安 約25秒

上達 楊慧先生のアドバイス

3で腰を落とす時は無理をせず、体の柔らかさに応じて加減します。6では、右手を上げて気を通し、左足にも気が通るのを意識して。

開始

右手で鉤手をつくる
目線は鉤手に
吸う
上体を右に回す
左足を下ろす
吐く
吸う
上体を左に回す
右ひざを曲げる

15式最後のポーズ P84 の続き

1 左足を下ろす

ゆっくり息を吸いながら、左足を下ろし、両手は弧を描くように下ろします。

2 上体を回し、右手を鉤手《ゴウ ショウ》に

上体を右に回し、徐々に重心を右足に移します。同時に、右手を鉤手にして右斜め前に上げ、左手は右肩の前に寄せます。

3 腰を落とし、上体を左へ

ゆっくり息を吐きながら左足を斜め横に大きく踏み出し、腰を低く落とします。息を吸いながら上体を左へ回し、右手は前へ、左手は下ろします。

足の運び

DOWN

低い姿勢からの片足立ち(右)

◉16式を左右逆にした動きです。ゆったりと両手を動かしながら、スムーズに重心移動できるように練習しましょう。

右《ヨウ》下《シャア》勢《シー》独《ドゥ》立《リー》

17式

DVD 3-17

吸う
上体を右に回す
左手を鉤手に
目線は右手へ
吐く
重心は右足に
目線は左手へ
吸う
ももから上げる
POINT
上体が前かがみになったり、腰がぐらつかないように。
つま先は下向きに

4

上体を右に回す

ゆっくり息を吸いながら、上体を右に回し、右のつま先を外向きにします。左手の鉤手はほどいて、右手は下に下ろします。

5

両手を前後に開く

重心を右足に移しながら、上体を起こして右に回します。右手は前へ出し、左手は鉤手にして後ろへ引きます。

6

左足を上げ、片足立ちに

左足を右足に引き寄せ、ゆっくり息を吸いながら左ひざを上げます。同時に、左手の鉤手をほどいて上げ、右手は腰の横に下ろします。

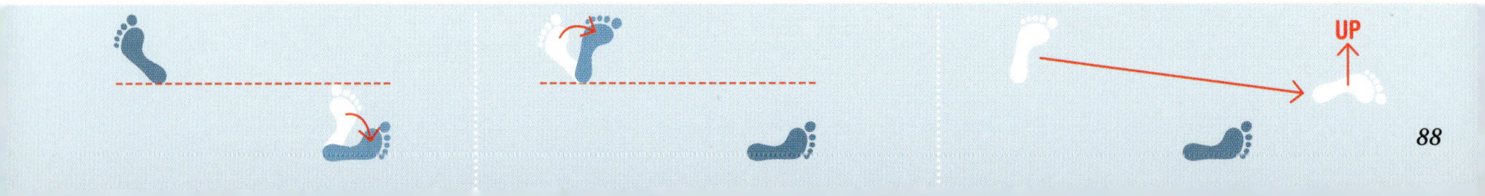
UP

18式 P91へ続く

ココに効く！

肩の痛み | のどの痛み | ひざの痛み

上達 楊慧先生のアドバイス

3で片足を伸ばして低い姿勢になった時は、左右の足の裏が床にぴったりと着き、離れないように気をつけます。4で上体を回す時は、柔らかな動きでスムーズに重心を移動するように心がけましょう。

時間の目安 約25秒

開始

16式最後のポーズ P86 の続き

正面

吐く
吸う
目線は鉤手に
上体を左に回す
吐く
左ひざを曲げる
かかとが浮かないように
右斜め横に踏み出す

1 右足を下ろす

ゆっくり息を吐きながら、右足を下ろします。息を吸いながら重心を右足に移し、かかとを内側に向けて上体を左に回します。

2 左手で鉤手《ゴウショウ》をつくる

さらに上体を回しながら左足に重心を移し、右足のかかとを上げます。左手は鉤手にしながら左斜め前に上げ、右手は左肩の前に引き寄せます。

3 右足を斜め横に踏み出す

ゆっくり息を吐きながら、左のひざを徐々に曲げて重心をかけ、右足を伸ばして右斜め横に大きく踏み出します。

足の運び

DOWN

DVD 3-18

左右穿梭《ズオ ヨウ チュアン スオ》 18式

機《はた》織《お》りの動き

◉「穿」は穴に糸を通すという意味。すくい上げるような手の動きが機織りの糸を通すしぐさに似ていることが由来です。

吐く
押し出す
吸う
目線は右手に
吐く
押し出す
重心を左足に移す
かかとから踏み出す

POINT
左右の足の裏をしっかり床に着いて、下半身がぶれないように。

4
左手を押し出す
ゆっくり息を吐きながら、左手は弧を描くように押し出し、右手は額の上に上げます。

5
再びボールを抱える
ゆっくり息を吸いながら、上体を右に回します。左足のかかとを上げて右足に引き寄せながら、両手はボールを抱えた状態にします。

6
左右逆に手を押し出す
ゆっくり息を吐きながら、左足をかかとから左斜め前に踏み出します。右手は押し出し、左手は額の上に上げます。

19式 P93へ続く

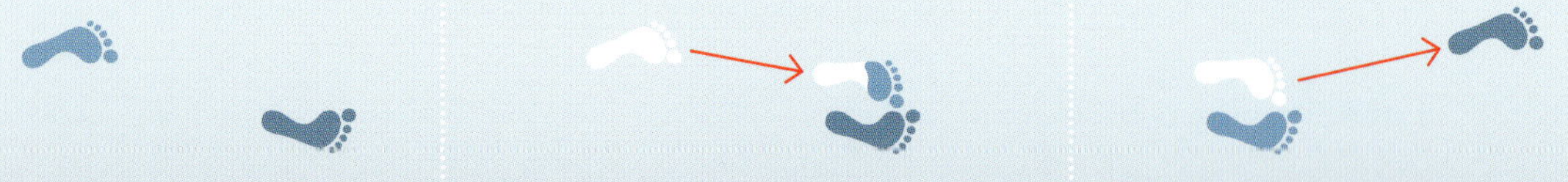

ココに効く！ 頭痛 首、背中の痛み 胸の痛み

上達 楊慧先生のアドバイス

3、**5**でボールを抱えた形から次に移る時は、ボールを手前に回すような気持ちで、上になった手を引き、下になった手を前に出しましょう。また、**4**、**6**のポーズでは後ろに伸ばした足のかかとが上がらないように気をつけます。

時間の目安 約30秒

開始
17式最後のポーズ P88 の続き
吐く
吸う
かかとから下ろす
右手のひらは上向き
左手のひらは下向き
左手
右手
かかとから踏み出す
かかとが上がらないように
目線は正面に

17式最後のポーズ P88 の続き

1 左足を下ろす

左足を左斜め前にかかとから下ろして重心を移し、上体を左に回します。

2 両手でボールを抱える

ゆっくり息を吸いながら、右足のつま先を左足に引き寄せて胸前でボールを抱え、右足をかかとから右斜め前に踏み出します。

3 重心を右足に移す

重心を右足に移しながら、右手は下から弧を描くように前に出し、左手は下ろします。

足の運び

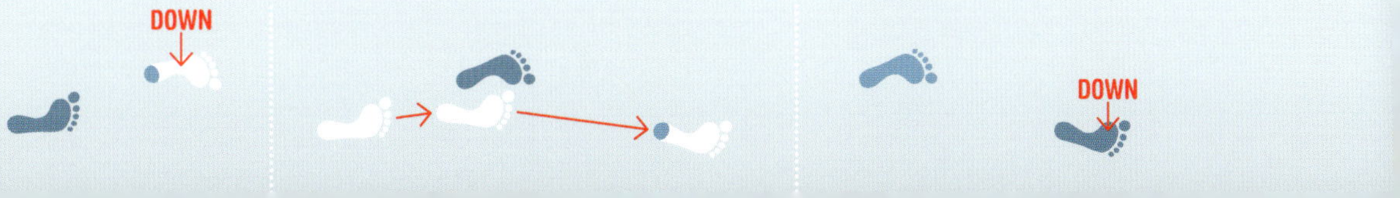

DOWN
DOWN

DVD 3-19

海底針《ハイディジェン》

19式

海底の針を拾う動き

◉孫悟空が、海底にあった海を鎮める針を拾って如意棒にしたという、西遊記に出てくる記述にヒントを得た動きです。

✕これはNG!
かがんだ時に顔が下を向いたり、背中が丸くならないように注意しましょう。

吐く
指先は下向きに
つま先を着く

目線は両手を追う
右ひざを深く曲げる

20式 P95 へ続く

4

右手を下ろす

右ひざを軽く曲げて腰を落とし、上体も前に倒していきます。右手も指先を下に向けて徐々に下ろしていきます。

5

左足のつま先を着く

ゆっくり息を吐きながら、左足を下ろしてつま先を着きます。右ひざは深く曲げてさらに腰を落とし、同時に、右手も下ろします。

6

両手を低く下ろす

右ひざを深く曲げて両手のひらを内側に向け、床に触れるくらいまで下ろし、海底の針を拾うような動きをします。

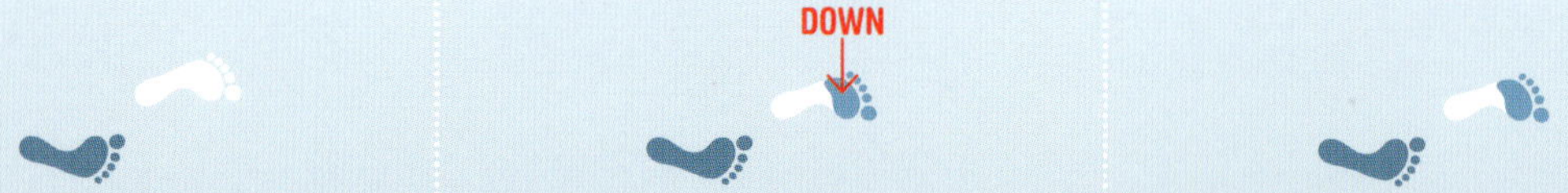

DOWN

ココに効く!

せき ｜ 肩の痛み ｜ 胸の痛み ｜ 不安感

上達 楊慧先生のアドバイス

手を上げ、体を伸ばした片足立ちの状態から低く前かがみになります。バランスに気をつけましょう。ゆっくり静かに屈伸し、**3**で伸び上がる時は上体をまっすぐに、かがむ時は上体が前に倒れないようにします。

左手のひらは下向きに

時間の目安 約20秒

開始

18式最後のポーズ P90の続き

目線は常に少し前へ
吸う
ひじは軽く曲げる
背筋をまっすぐ伸ばす
重心を右足に移す
つま先は下向きに

1 右足を引き寄せる

右足を左足に引き寄せ、右手は弧を描くようにして、ゆっくり下ろしていきます。

2 重心を右足に移す

右ひざを曲げて重心を徐々に右足に移し、左足のかかとを上げます。両手はそのまま腰のあたりまで下ろしていきます。

3 右手を上げ、片足立ちに

ゆっくり息を吸いながら、左ひざを上げ、片足立ちになります。右手は伸ばし、左手は手のひらを下向きにしてももの横に。

足の運び

UP
UP

肩から受け流す動き

◉斜め横に構えて両手を上げ、攻撃をかわす動きです。両手を上げた時、両肩が一直線になるよう意識します。

閃《シャン》通《トン》臂《ベイ》

20式

DVD 3-20

左手は前へ伸ばす
目線は左手の先に
両肩が一直線上になるように
上体を右に回す
かかとを内側に回す
体重は左足に6割

POINT
左手は肩より高くならないようにします。ひじはゆるめて軽く曲げた状態に。

正面

21式 P96へ続く

4
両手を開く
上体をゆっくり右に回しながら、重心をさらに左足に移します。右手はひじを曲げて頭上へ、左手はそのまま前へ伸ばしていきます。

5
左手を押し出す
上体をさらに右に回し、そのまま左手を押し出します。右手は頭上くらいまで上げ、右足先はやや外向きにします。

上達 楊慧先生のアドバイス

5では体重は左足に６割、右足に４割かけるくらいに。両肩が一直線状になるように意識しながら、左手と右手を上げましょう。

時間の目安 約10秒

目線は前へ
吸う
つま先立ち
重心は右足に
かかとから踏み出す
徐々に手のひらを返していく
吐く
つま先を下ろし左足に重心を移す

開始

19式最後のポーズ P92 の続き

1 上体を起こす

ゆっくり息を吸いながら、右ひざを徐々に伸ばして腰を上げ、同時に上体も起こします。両手は海底の針を拾うように上げていきます。

2 左足を踏み出す

右足に重心をかけたまま、左足をかかとから左斜め前に踏み出します。両手のひらは内側に向けながら、顔の前まで上げます。

3 重心を左足に移す

ゆっくり息を吐きながら、左足のつま先を下ろし、徐々に重心を移していきます。両手のひらは外側に返しながら開いていきます。

足の運び

DOWN

転身して こぶしで打つ動き

◉体の向きを変えて左、右、左と重心を移していきます。背後から迫ってきた相手をさえぎり、こぶしで攻撃する動きです。

DVD 3-21

転《ジュアン》身《シェン》搬《バン》攔《ラン》捶《チュイ》

21式

時間の目安 約25秒

開始
20式最後のポーズ P94 の続き

1

重心を右足に移す

ゆっくり息を吸いながら、左足のかかとを軸にして体を大きく右に回し、重心を右足に移します。息を吐きながら、右手は弧を描くようにゆっくり下ろしていきます。

2

重心を左足に移す

上体を右に回しながら、左足に徐々に体重を移し、右足のかかとを上げます。息を吸いながら、右手はさらに下ろし、左手は胸の前に引き寄せます。

足の運び

ココに効く！

発熱 | 耳鳴り | 肩の痛み

上達 楊慧先生のアドバイス

手のひらまで気が通りやすいように、こぶしは軽く握りましょう。また、最後のポーズでは、重心をしっかりと前足にかけ、ぐらつかないように注意して。

目線は右こぶしの先へ
吐く
POINT 手と上体の動きが、ばらばらにならないように気をつけて。
左手のひらは下向きに
かかとから踏み出す
右足を引き寄せる
目線はこぶしに
左手は下向きに

21式 P98へ続く

5 右こぶしを押し出す

ゆっくり息を吐きながら、上体を右に回し、右ひざを曲げて重心を右足に移します。右手はこぶしを押し出し、左手は手のひらを下向きに腰の横へ。

4 右足を踏み出す

右足を右斜め前にかかとから踏み出します。右手のこぶしを立て、左手の内側を通って胸の高さに上げ、左手は下ろします。

3 右手でこぶしを作る

右足を左足の横に引き寄せます。右手はこぶしを作りながら、そのまま弧を描くように上げます。

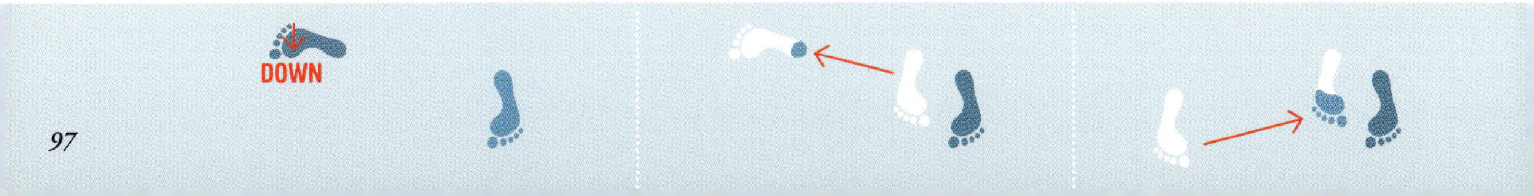
DOWN

右こぶしは
甲を下に向けて
わき腹につける
吸う
上体を
右に回す
つま先を軸に
かかとを回す
かかとから踏み出す
つま先を
引き寄せる

続き
21式
P97の続き

6
左足を寄せる

重心をさらに右足に移し、左足のかかとを上げて、つま先を右足の横に引き寄せます。

7
左足を踏み出す

ゆっくり息を吸いながら、左足をかかとから左斜め前に踏み出します。

8
左手のひらを押し出す

左手のひらを押し出します。同時に、上体を右に回しながら、右ひじを引き、こぶしをわき腹に引き寄せます。

足の運び

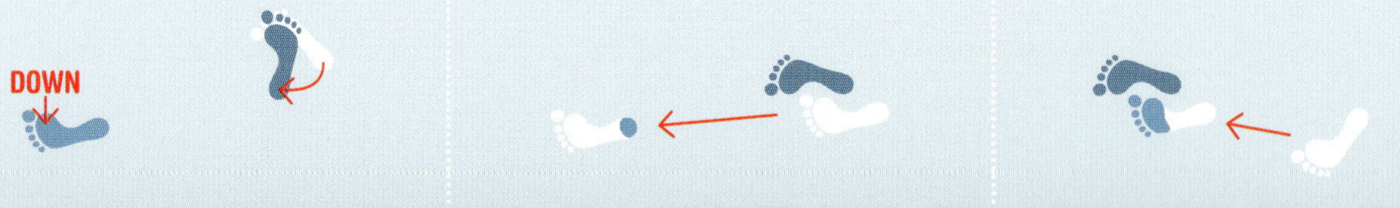
DOWN

目線は正面に
吐く
左手のひらを押し出す
右こぶしは立てながら前へ
上体を左に回す

9

上体を左に回す

ゆっくり息を吐きながら、上体を左に回し、重心を左足に移します。同時に、右こぶしは立てながら前へ出します。

目線は右こぶしの先に
左手のひらを右手に添える
左足に重心を移す

POINT
背筋を伸ばし、上体が前に傾かないように注意して。

10

右こぶしを突き出す

左足にさらに重心を移します。右こぶしを肩の高さまで前に突き出し、左手のひじを引いて、手のひらを右ひじの内側に添えます。

22式 P100へ続く

相手の動きを封じる動き

◉封じるような、閉めるような動きという意味。24式の終わりが近いので、心身を落ち着け、静かに収めていきます。

如《ルー》封《フォン》似《シー》閉《ビー》 22式

DVD 3-22

時間の目安 約15秒

開始

21式最後のポーズ P99 の続き

目線は前へ
吐く
重心は左足に7割
右足のかかとが上がらないように

1 両手を前に出す

ゆっくり息を吐きながら、左手のひらを上に向け、右ひじの下から右腕をなぞるようにして前に出します。右こぶしをほどき、手のひらを上に向けて、両手を前に出します。

吸う
重心を右足に移す
つま先を上げる

2 重心を右足に移す

ゆっくり息を吸いながら、上体を後ろに引いて、右足に重心を移し、左足のつま先を上げます。両手はゆっくりと胸の前に引き寄せます。

足の運び

UP

ココに効く！ 胸の痛み｜動悸｜肩、腕の痛み

上達 楊慧先生のアドバイス

重心を前後に移動する時、上半身がそり返ったり、逆に前に倒れたり、腰が引けておしりが突き出たりしないように気をつけましょう。また、**4**で両手を出す時は、手首に力を入れすぎず、柔らかく押し出すようにします。

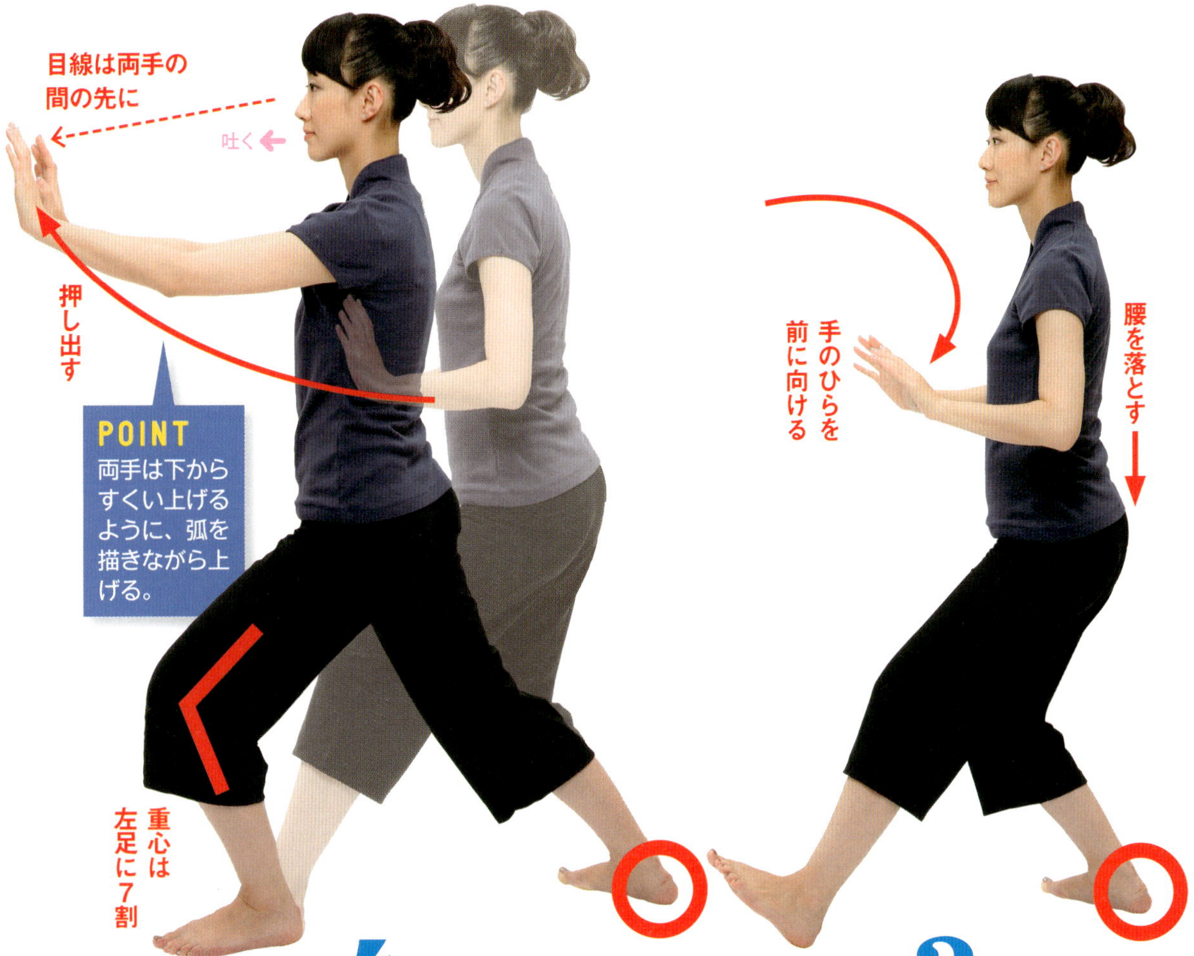
目線は両手の間の先に
吐く
押し出す
POINT
両手は下からすくい上げるように、弧を描きながら上げる。
重心は左足に7割
手のひらを前に向ける
腰を落とす

3

腰を落とす

腰を落としながら、両手のひらを返して腰の前まで下ろします。

4

両手を押し出す

ゆっくり息を吐きながら、左足のつま先を徐々に下ろして重心を移します。同時に、両手はすくい上げるようにして押し出します。

DOWN

23式 P102へ続く

ココに効く！　耳鳴り　首、肩、ひじの痛み

両手を頭上で十字に組む動き

十《シー》字《ズー》手《ショウ》

DVD 3-23

23式

◉準備で行った十字手を再び行います。最初の十字手とは逆に、交差させた両手は上げていきます。

時間の目安　約15秒

両手を交差したまま上げる
左手
右手
吸う
吐く
吸う
両手を大きく左右に広げる
開始
上体を右に回す
両手は弧を描くように
右足を寄せる
かかとを軸に
POINT
体を新鮮な空気で満たすように、十分に鼻から息を吸います。

22式最後のポーズ P101の続き

24式 P103へ続く

1 上体を右に回す

ゆっくり息を吸いながら、左足のかかとを軸にしてつま先を内側に向け、上体を右に回します。両手は大きく左右に広げます。

2 自然立ちになる

ゆっくり息を吐きながら、両手を徐々に下げます。同時に右足を寄せ、自然立ちになります。

3 両手を交差して上げる

ゆっくり息を吸いながら、両手を腰の前で交差します。手のひらを内側に向け、右手を外側、左手を手前にして手首を重ね、頭上まで上げます。

足の運び

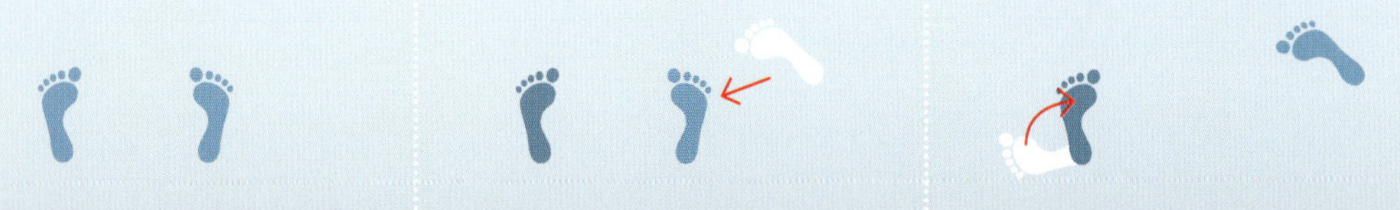

ココに効く！ 動悸 イライラ 不安感

終わりの姿勢

収勢《ショウシー》

24式

DVD 3-24

◉「収勢」とは収める形という意味で、その名の通り、24式の最後の動きです。呼吸を整え、心を落ちつけます。

時間の目安 約40秒

右手の上に左手を重ね、左右の親指を軽くつける
右手
左手
吸う
吐く
吸う
吐く
両手は弧を描くように
完了
開始
23式最後のポーズ P102 の続き

2 両手を重ねる

おなかの前で両手を重ね（座禅を組む時の手の形）、心が落ちつくまで深呼吸を繰り返します。

1 手を左右に開いて下ろす

ゆっくり息を吐きながら、交差した手を離し、左右に開いて大きく弧を描くように下ろします。

足の運び

太極拳をもっと楽しむためのQ＆A

Q 効率のよい練習方法は？

まずは動作を覚えることが大切です。手足を一緒に覚えるのが基本ですが、難しい人は、はじめは手の動きのみ覚え、次のステップで足の動きも合わせて練習してもよいでしょう。そして、ある程度、動作を覚えたら、呼吸法も意識して行ってみてください。

Q 妊娠中に行っても平気？

ゆっくりとした動きでありながらも有酸素運動である太極拳は、妊娠中や産後の体力維持や回復にも向いています。体調に応じて加減しながら行いましょう。ただし、妊娠4か月くらいまでは不安定な時期なので、まずは医師に相談してから行ってください。

Q 好きな1式だけでもOK？

二十四式太極拳は通して行うことが基本です。どうしても時間がない場合は、ＰＡＲＴ４で紹介する目的別太極拳から組み合わせをいくつか選んで行ってもよいでしょう。その場合は、動きの一つひとつにより集中して、気を巡らせるように意識してください。

Q 狭い部屋でもできる？

2畳分以上のスペースが確保できるのが理想的ですが、それ以下の場合は、歩幅を狭める、壁に当たったら方向を変えるなど工夫しましょう。基本的な動きを守って気持ちよくできれば、効果は十分に上がります。また、八段錦なら、座って上半身だけ動かしても有効です。

Q 「ゆっくり」の目安？

1分間に3呼吸が目安です。そのペースに合わせて動くと、24式すべて行って10～15分かかる計算になります。個人差があるので、時間は一応の目安としてください。大切なのは、最初から最後まで同じペースで行うこと。ゆったりした音楽をかけ、ペースを合わせるのも一案です。

Q 毎日続けないと効果なし？

太極拳は、繰り返し続けることで、心身のバランスを整え、人間が本来備えている自然治癒力を高めていくとされています。効果がないというわけではありませんが、毎日5分でも続けるほうが効果が出やすくなります。心身の変化を感じながら、楽しんで続けてください。

PART 4

組み合わせで効果アップ 目的別太極拳

八段錦と二十四式太極拳を組み合わせることにより、短時間で目的に応じた運動をすることができます。ここでは気になる11の症状を解消する組み合わせをご紹介します。

DVD 4-1

目的別太極拳 1

目覚めスッキリ

第一段錦 + 十字手

深く呼吸しながら両手を伸ばす第一段錦で血流を促し、腕を広げる十字手で朝の新鮮な空気を体中に巡らせます。

1 両手を組んで上げる

両手をおへその位置で組み、肩の高さまで上げます。

2 両手を下ろす

手のひらを下に向け、おへその前まで下ろします。

3 両手を上げる

手を再び上げます。顔の前で手のひらを返して外側に向け、さらに上に伸ばします。

3 頭上で交差

頭上で右手が外側になるようにして交差させます。

4 両手を下ろす

両手を胸の高さまで下ろし、同時に両ひざをゆるめて腰を落とします。

正面

5 手を下げて体のわきに

両手を離し、左右へゆっくりと振り分け両わきに戻します。

第一段錦

詳しくは▶P24〜25参照

4
上半身を伸ばす

両手を頭上まで上げ、上半身を伸ばします。

5
両手をほどいて下ろす

両手をほどき、ゆっくりと左右に弧を描くようにして下ろします。

太極拳十字手

詳しくは▶P44参照

1
自然立ちになる

両足を肩幅に開き、両手を体の横に下ろして立ちます。

2
両手を上げる

両手を横に開いて上げていきます。

DVD 4-2

目的別太極拳❷

集中力アップ

第七段錦（座り）
＋
10式

力強くこぶしを突き出す第七段錦で気力を高め、なめらかな動きで手指の動きを追う10式で気持ちを集中します。

第七段錦（座り）

詳しくは▶P36〜37参照

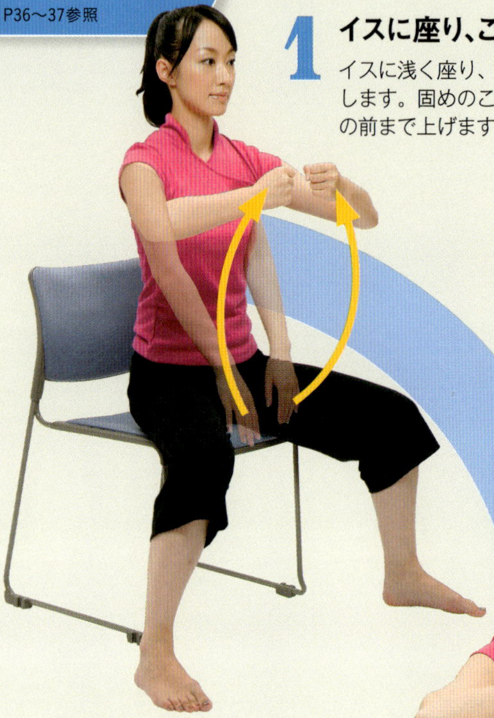

1 イスに座り、こぶしを握る

イスに浅く座り、両手を前に垂らします。固めのこぶしを作り、胸の前まで上げます。

目線は左こぶしを追う

2 左こぶしを突き出す

左こぶしを突き出し、同時に右こぶしを右胸に引きつけます。両こぶしを胸元に戻し、少し下げます。

背筋を伸ばす
反対側も同様に

3 こぶしを上げ、両手を下ろす

両こぶしを頭上まで上げ、上体を伸ばします。両こぶしを開いて両手を左右に下ろし、元に戻ります。

太極拳 10式

詳しくは▶P72〜75参照

1 左手左足を前に

鉤手《ゴウショウ》をつくった右手は横、左手は手首を立てて前に出し、左足を踏み出して重心をかけたポーズから始めます。

2 鉤手をほどいて右へ

左足のつま先を上げ、かかとを軸に内側に向けながら、上体を右に回します。右手は鉤手をほどき、左手は体の前へ。

3 左足に重心を移す

重心を左足に移しながら、上体を左に回し、右足を引き寄せます。左手は顔の前を通らせ、右手は腰の前を通らせます。

4 左右の手で弧を描く

左足のかかとを上げ、重心を右足に移します。上体を右に回しながら、左右の手で弧を描き、途中で上体を左に回しながら重心を左に移します。

5

3〜4をもう一度繰り返します

6 右足に重心をおく

上体を正面に戻しながら、右足のかかとを下ろして重心を移し、左足のかかとを上げます。右手は顔の前を過ぎたところで止め、左手は腰まで下ろして止めます。

DVD 4-3

目的別太極拳③

不眠改善 リラックス

第四段錦 ＋ 1式

ゆるやかな動きで背骨をゆっくり伸ばし、気を導く第四段錦と、大地の気を吸い上げ、心を鎮める1式です。

1

両手を上げる

両手のひらを上に向け、肩の高さまで上げます。

2

手を下ろし 首を左へ回す

肩の高さまで上げたら、手のひらを返して下ろします。同時に首をゆっくりと左に回します。

2

両手を上げる

両手のひらを下に向けて腕を肩の高さまで上げます。

3

腰を落とす

両手を胸の高さまで下ろし、同時に両ひざをゆるめて腰を落とします。

第四段錦

詳しくは▶P30〜31参照

太極拳 1 式

詳しくは▶P45参照

1 自然立ちになる

両足を肩幅に開き、両手を体の横に下ろして立ちます。

3 首は左後方、意識は右足裏へ

息を全部吐ききると同時に、両手はわきに下ろします。首は左後方に向け、意識は右足裏に向けます。

4 両手を上げ顔を正面に

両手を肩の高さまで上げます。同時に、目線を水平に移動させながら首を正面に戻します。

左右逆にして**2**～**4**を繰り返します

シェイプアップ

第七段錦
+
12式

股関節《こかんせつ》まわりをゆるめ、運動量が高い第七段錦と、おなかやおしりの筋肉を使う12式で、引き締まった体づくりを。

第七段錦

詳しくは▶P36〜37参照

1 こぶしを作る

両足を開いて腰を落とし、両手を自然に前に下ろします。固めのこぶしを作り、胸の高さまで引き上げます。

2 左こぶしを突き出す

胸の前でいったんこぶしを立て、左こぶしを左前方に突き出し、右ひじを斜め後ろに引きます。同時に、腰をゆっくり落とします。

3 両こぶしを頭上に

両方のこぶしを胸の前に戻して立て、腰を落としながら両手を上げていきます。頭上まで上げたら、こぶしを返して上向きにします。

反対側も同様に

4 両手を下ろす

こぶしをほどき、ゆっくり両手を下ろします。

太極拳 12式

詳しくは▶P78～79参照

目線は前方遠くに
手のひらを上に
重心を右足に移す

1 左手左足を前に

鉤手《ゴウショウ》をつくった右手は横、左手は手首を立てて前に出し、左足を踏み出して重心をかけたポーズから始めます。

2 両手を左右に広げる

右手の鉤手をほどき、右足を半歩引き寄せ、重心を移します。両手を下ろした後、上体を右に回しながら、胸の前で両手を返し、左右に広げます。

3 右手を前に出す

右手をゆっくり前に出します。同時に、左手をウエストあたりに引き寄せます。

4 左手を右手に交差させる

左手のひらを上に向けたまま、左手をゆっくり前に突き出し、右手首の上に交差させます。

5 両手、左足を上に

左ひざをゆっくり上げ、手の交差をほどき、両手の間から遠くを見ます。

DVD 4-5

目的別太極拳 5

便秘改善
内臓機能アップ

第八段錦 ＋ 2式

下腹をへこませ、腸の動きを促す第八段錦と、ゆるやかな振動で気を巡らせる２式で、内臓を活性化します。

第八段錦

詳しくは▶P38〜39参照

1 両手を上げる

こぶし１つから１つ半くらい足を開いて立ちます。両手のひらを下にして、肩の高さまで前に腕を上げます。

2 両手を下ろす

両手をゆっくり下ろします。

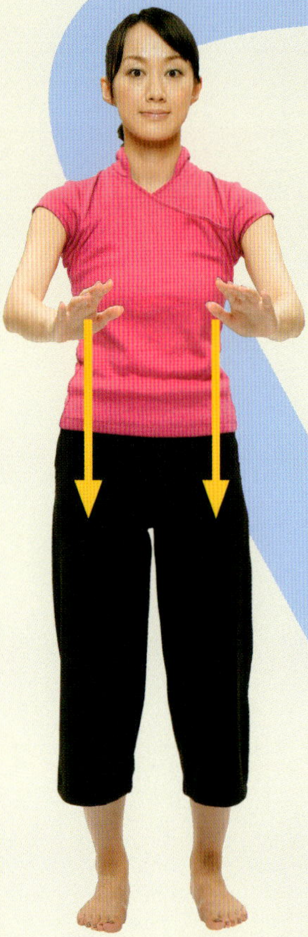

3 かかとを上げる

両足のかかとをゆっくり上げます。つま先立ちのまま、５〜６秒間息を止めます。

4 かかとを落とす

口から息を吐きながら、体の力を抜いてかかとを落とし、ひざを軽く曲げます。両手も自然に下ろします。

太極拳2式

詳しくは▶P46〜49参照

左右逆にして3、4を
さらに3、4を
繰り返します

1 腰を落とす

ゆっくり息を吐きながら、両手を胸の高さまで下ろし、同時に、両ひざをゆるめて腰を落とします。

2 左手を下、右手を上へ

右手は上へ、左手は下へ向けて、弧を描くように回し始めます。

3 ボールを抱えて重心を移す

両手はボールを抱えるようにし、上体を右に回して左足を右足に寄せます。上体を左に動かし、左足をかかとから左斜め前に踏み出します。

4 重心を左足へ移し左手を前へ伸ばす

重心を左足に移しながら、内側に向けた左手のひらを前へ伸ばし、右手のひらは下に向けて腰のわきまで下ろします。

5 重心を右足に移した後、左足に移す

重心を右足に移して左足のつま先を外側に向けた後、上体を左に回し、重心を左に移します。

6 右足を引き寄せる

右足を左足に引き寄せます。同時に、両手は弧を描くように回し、胸の前でボールを抱えるように向かい合わせます。

DVD 4-6

目的別太極拳 6

疲労回復

第六段錦 + 1式

大きな動きで気を巡らせる第六段錦に、深い呼吸でたまった疲れを出しきり、新鮮な酸素を満たす1式を組み合わせます。

1 両手を上げ下げする

両手のひらを下に向け、肩の高さまで上げた後、手のひらを下に向けたまま両手を腰のわきまで下ろします。

2 両手を押し上げる

両手のひらを立て、上げます。肩の高さで両手のひらを上に向け、頭上まで伸ばします。

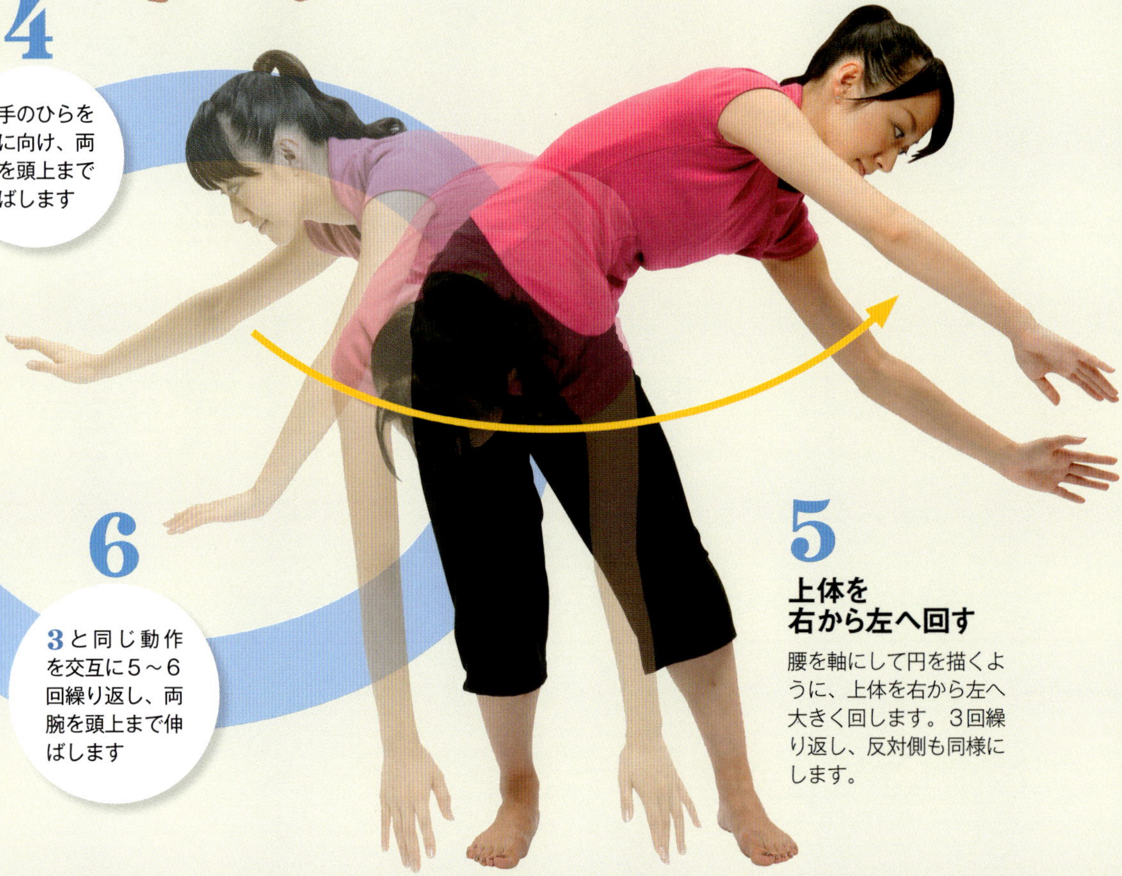

4

両手のひらを上に向け、両腕を頭上まで伸ばします

5 上体を右から左へ回す

腰を軸にして円を描くように、上体を右から左へ大きく回します。3回繰り返し、反対側も同様にします。

6

3と同じ動作を交互に5～6回繰り返し、両腕を頭上まで伸ばします

第六段錦

詳しくは▶P34〜35参照

3 両手を交互に伸ばす

両手を交互に、頭上まで伸ばして引き上げます。天空を押し上げるイメージで5〜6回繰り返します。

7 上体を前へ倒す

両手が床に着けるように上体を前へ倒し、足首をつかみます。その後、上体を起こします。

太極拳1式

詳しくは▶P45参照

正面

1 自然立ちになる

両足を肩幅に開き、両手を体の横に下ろして立ちます。

正面

2 両手を上げる

両手のひらを下に向けて腕を肩の高さまで上げます。

正面

3 腰を落とす

両手を胸の高さまで下ろし、同時に両ひざをゆるめて腰を落とします。

DVD 4-7

動悸・息切れ

第二段錦
＋
18式

胸を大きく広げ、深く呼吸する第二段錦と、心臓や肺に血液の流れを促す18式で、心肺機能を高めます。

第二段錦

詳しくは▶P26〜27参照

1 軽くこぶしを握る

両足を大きく開いて立ち、両手を前に下ろします。ひじとひざを軽く曲げて腰を落とし、両手で軽くこぶしを作って引き上げます。

2 左手をVサインに

そのまま左手の人差し指と中指を立ててVサインをつくります。

3 弓を射るポーズを

目線は立てた２本の指の間を追う
胸を広々と左右に開くイメージで

右手は胸に引き寄せ、左手は横に押し出して胸を大きく開きます。左手の動きを目線で追いながら、首を左にゆっくり回します。

4 両手を下ろす

両手を体の正面に戻し、左手をこぶしにします。腰を下ろし、両手のこぶしを開いて体の前に下ろします。

反対側も同様に

太極拳 18式

詳しくは▶P90〜91参照

目線は左手に
つま先は下向きに
重心は左足に

1 片足立ちのポーズから

左手、左足を上げ、右手は体の横まで下ろした片足立ちのポーズからスタートします。

2 両手でボールを抱える

左足を下ろして重心を左に移し、上体を左に回します。右足のつま先を左足に引き寄せながら胸前でボールを抱えた後、かかとから右斜め前に踏み出します。

3 左手を押し出す

重心を右足に移しながら、ボールを転がすように右手は下から額の上に上げ、左手は引いた後、押し出します。

4

左足を右足に引き寄せます。両手は2と逆にボールを抱えて

3と同じ動作を左右逆に行います

DVD 4-8

目的別太極拳 8

肩こり腰痛改善

第三段錦 ＋ 18式

両肩を開いて伸びをすることで首や肩、腰のこりをほぐす第三段錦と、体の軸を整える18式の組み合わせ。

第三段錦

詳しくは▶P28〜29参照

背筋をまっすぐ伸ばす
反対側も同様に

1 両手を上げる

両手のひらを上に向けて、前に上げていきます。

2 両手を下ろす

肩のあたりで両手のひらを返して下に向け、みぞ落ちのあたりまで下ろします。

3 左手は上、右手は下に

左手のひらを徐々に返しながら上げ、上に向けます。右手は下ろしていきます。

4 左手を下ろす

左手を頭上まで押し上げたら、弧を描くようにしてゆっくりと体のわきまで下ろします。

太極拳18式

詳しくは▶P90〜91参照

つま先は下向きに

1 片足立ちのポーズから

左手、左足を上げ、右手は体の横まで下ろした片足立ちのポーズからスタートします。

重心は左足に

2 両手でボールを抱える

左足を下ろして重心を左に移し、上体を左に回します。右足のつま先を左足に引き寄せながら胸前でボールを抱えた後、かかとから右斜め前に踏み出します。

目線は左手に

3 左手を押し出す

重心を右足に移しながら、ボールを転がすように右手は下から額の上に上げ、左手は引いた後、押し出します。

4

左足を右足に引き寄せます。両手は2と逆にボールを抱えて

3と同じ動作を左右逆に行います

ゆがみ改善

第三段錦 ＋ 十字手

両手の動きで、背骨を中心とした上下左右のバランスを整える第三段錦と、同様に、体の軸を安定させる十字手を行います。

第三段錦

詳しくは▶P28〜29参照

背筋をまっすぐ伸ばす
反対側も同様に

1 両手を上げる

両手のひらを上に向けて、前に上げていきます。

2 両手を下ろす

肩のあたりで両手のひらを返して下に向け、みぞ落ちのあたりまで下ろします。

3 左手は上、右手は下に

左手のひらを徐々に返しながら上げ、上に向けます。右手は下ろしていきます。

4 左手を下ろす

左手を頭上まで押し上げたら、弧を描くようにしてゆっくりと体のわきまで下ろします。

太極拳十字手

詳しくは▶P44参照

1

自然立ちになる

両足を肩幅に開き、両手を体の横に下ろして立ちます。

2

両手を上げる

両手を横に開いて上げていきます。

3

頭上で交差

頭上で右手が外側になるようにして交差させます。

4

両手を下ろす

両手を胸の高さまで下ろし、同時に両ひざをゆるめて腰を落とします。

正面

5

手を下げて体のわきに

両手を離し、左右へゆっくりと振り分け両わきに戻します。

DVD 4-10

目的別太極拳 10

血行促進 精力アップ

第四段錦
＋
第六段錦

呼吸とともに腕を上下させる第四段錦は気を巡らせて精力アップに、動作が大きい第六段錦は血行促進に効果的です。

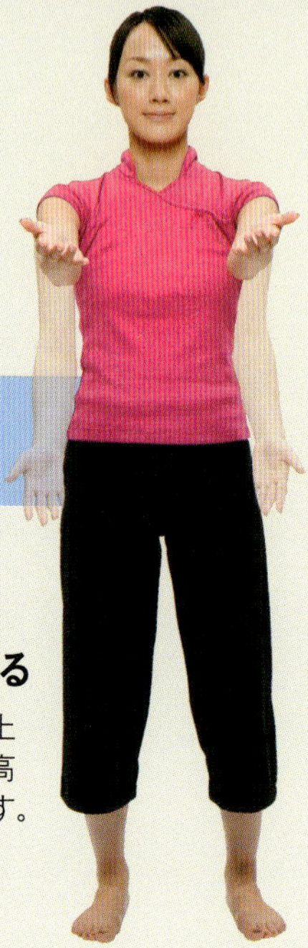

1 両手を上げる

両手のひらを上に向け、肩の高さまで上げます。

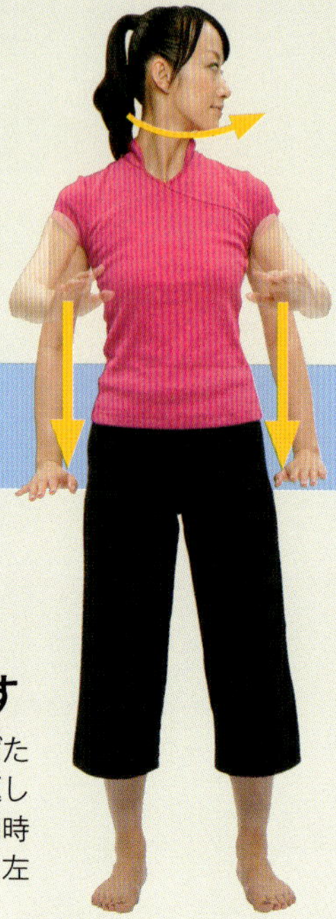

2 手を下ろし首を左へ回す

肩の高さまで上げたら、手のひらを返して下ろします。同時に首をゆっくりと左に回します。

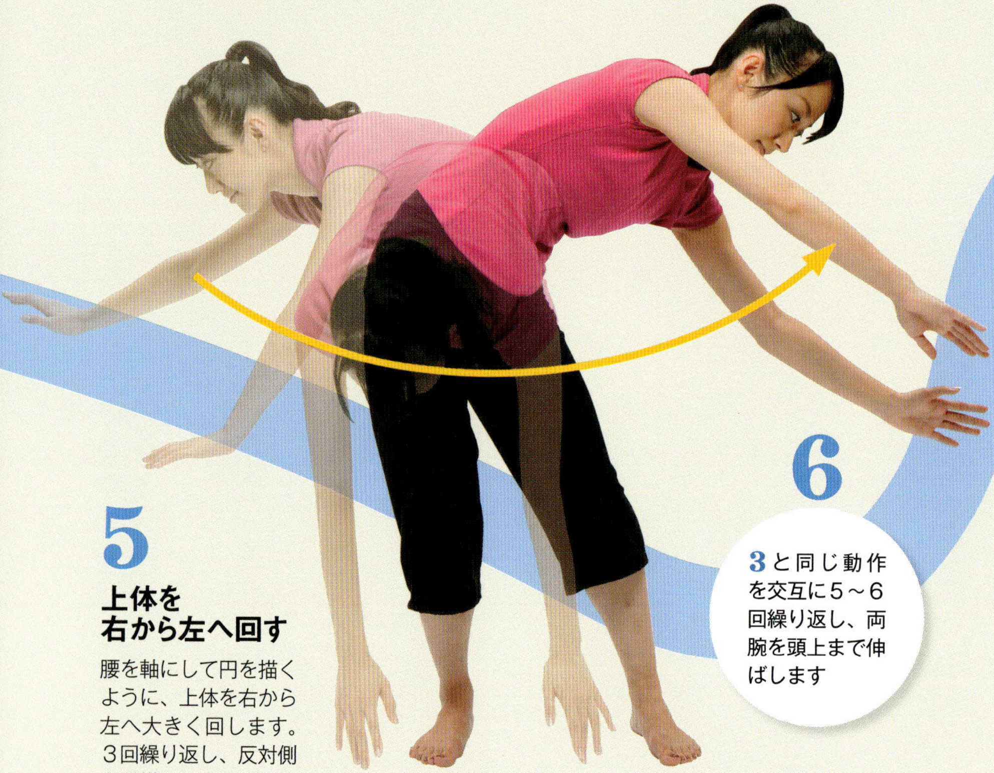

5 上体を右から左へ回す

腰を軸にして円を描くように、上体を右から左へ大きく回します。3回繰り返し、反対側も同様にします。

6

3と同じ動作を交互に5～6回繰り返し、両腕を頭上まで伸ばします

7 上体を前へ倒す

両手が床に着けるように上体を前へ倒し、足首をつかみます。その後、上体を起こします。

第四段錦
詳しくは▶P30〜31参照

3 首は左後方、意識は右足裏へ

息を全部吐ききると同時に、両手はわきに下ろします。首は左後方に向け、意識は右足裏に向けます。

4 両手を上げ顔を正面に

両手を肩の高さまで上げます。同時に、目線を水平に移動させながら首を正面に戻します。

左右逆にして2〜4を繰り返します

第六段錦
詳しくは▶P34〜35参照

1 両手を上げ下げする

両手のひらを下に向け、肩の高さまで上げた後、手のひらを下に向けたまま両手を腰のわきまで下ろします。

2 両手を押し上げる

両手のひらを立て、上げます。肩の高さで両手のひらを上に向け、頭上まで伸ばします。

3 両手を交互に伸ばす

両手を交互に、頭上まで伸ばして引き上げます。天空を押し上げるイメージで5〜6回繰り返します。

4

両手のひらを上に向け、両腕を頭上まで伸ばします

目的別太極拳 11

ストレス解消 イライラ解消

第五段錦 ＋ 4式

腰を安定させる第五段錦はイライラ解消に。手のひらに気を乗せて押し出す4式は精神を安定させる効果があります。

DVD 4-11

第五段錦

詳しくは▶P32〜33参照

1 腰を落とす

左足を肩幅の倍に開いて立ちます。両手は親指を後ろにして太ももにおきます。背筋を伸ばしたまま、ゆっくり腰を落とします。

2 上体を右から左へ回す

首を回して右を向きます。そのまま上体を前に倒し、腰を軸にして、右から左へゆっくり回していきます。

3

右足の土踏まずを見た後、ゆっくりと首を元に戻し、2と逆方向に左から右へ回します

4 正面を向く

上体を起こして正面を向きます。

左右逆にして2〜4を繰り返します

太極拳 4式

詳しくは▶P52〜55参照

1
右手指先を見るポーズから

左手は腰のわきまで下ろし、右手を頭上まで上げて指先を見るポーズからスタートします。

2
上体を右へ回す

上体を右に回します。同時に右手は弧を描くように下ろしながら肩の高さまで上げます。左手は自然に上げていき、右胸の前までもっていきます。

3
左足を踏み出す

右手は右耳の横に、左手は手のひらを下向きにして、ひざ前を払うように下ろし、左足をかかとから踏み出します。

4
右手を押し出す

右手を押し出し、左手は手のひらを下向きにして腰のわきまで下ろします。

5
上げたつま先を外側に開く

重心を右足に移し、両手を広げて肩の高さに上げます。上体を左に回しながら、左足のつま先を外側に開きます。

左右逆にして**2**〜**5**を行い、さらに**2**〜**5**を繰り返します

●監修 ―――――― 楊《よう》 慧《けい》

楊名時太極拳事務所代表。日本健康太極拳協会副理事長。テレビや雑誌、書籍などのメディアを通じ、太極拳の普及に尽力。著書に『DVDブック　だれでもできる楊名時太極拳』（山と渓谷社）など多数。NHK「きょうの健康」に太極拳指導講師としても出演。2019年には、山と渓谷社より『太極拳で100歳まで健やかに美しく生きる』を上梓。

●実技 ―――――― 楊《よう》 玲奈《れいな》

楊名時太極拳師範。祖父・楊名時、母・楊慧のもとで幼少より太極拳や中国文化に親しみ育つ。楊名時太極拳の次世代を担う指導者として、精力的に活動中。朝日カルチャーセンター、読売カルチャーセンターなどで指導に立つほか、ＮＨＫなどメディア出演を通じて、太極拳普及に取り組んでいる。

●STAFF ――――――

撮　　影	岡田 一也
デザイン・DTP	佐々木 容子／小宮 祐子（株式会社 志岐デザイン事務所）
執 筆 協 力	山内 美香
取材撮影協力	佐藤 佳代子（楊名時太極拳 師範）
衣 装 協 力	イージーヨガ ジャパン／Suria（インターテック）
DVD編集制作	阿部 耕介／阿部 崇／勝木 泰（株式会社 ティエスピー・エンジニアリング）
企画・編集協力	島 晶子／田中 剛／佐藤 貴也（株式会社 ケイ・ライターズクラブ）

DVD見《み》ながらできる! はじめての太極拳入門《たいきょくけんにゅうもん》

2009年4月10日発行　第1版
2023年2月10日発行　第3版　第13刷

●監修者 ―――――― 楊 慧［よう けい］
●発行者 ―――――― 若松 和紀
●発行所 ―――――― 株式会社西東社《せいとうしゃ》

〒113-0034 東京都文京区湯島 2-3-13
電話　03-5800-3120（代）
ＵＲＬ：https://www.seitosha.co.jp/

ISBN978-4-7916-1418-9